D0581407

Les amants de minuit

Les amants de minuit

Collection : NORA ROBERTS

Titre original : ISLAND OF FLOWERS

Traduction française de MARIE-CLAUDE CORTIAL

HARLEQUIN®
est une marque déposée par le Groupe Harlequin

Photos de couverture
Palmiers & coucher de soleil :
© NEIL EMMERSON/ROBERT HARDING/GETTY IMAGES
Paysage marin :
© SAKIS PAPADOPOULOS/ROBERT HARDING/GETTY IMAGES
Mer : © DIGITAL VISION/ROYALTY FREE

83-85, boulevard Vincent-Auriol, 75646 PARIS CEDEX 13.
Service Lectrices — Tél. : 01 45 82 47 47
www.harlequin.fr
ISBN 978-2-2802-3381-1

Chapitre 1

L'avion se posa en douceur sur la piste de l'aéroport international d'Honolulu et, quelques minutes plus tard, Laine Simmons descendit la passerelle. Sur le tarmac, plusieurs jeunes filles à la peau dorée, vêtues de sarongs aux vives couleurs, accueillaient les passagers.

Laine poussa un léger soupir. Elle aurait préféré se mêler directement à la foule mais, ayant voyagé en classe touriste, elle était étiquetée comme telle. Elle accepta le baiser de bienvenue des jeunes femmes et le collier de fleurs qu'elles lui offraient, puis elle marcha vers le bureau d'informations, ralentie dans sa marche par un homme de forte corpulence. A en juger par sa chemise fleurie jaune et orange, et les jumelles qui pendaient autour de son cou, il était bien résolu à prendre du bon temps pendant ses vacances. Laine fronça les sourcils. Dans des circonstances différentes, l'apparence un peu ridicule de cet inconnu l'aurait amusée, mais le nœud qui s'était formé dans son estomac lui ôtait toute envie de sourire. Elle n'avait pas mis les pieds sur le continent américain depuis quinze ans. Avec ses falaises et ses plages, le paysage qu'elle avait découvert pendant la descente de l'avion ne lui avait pas paru particulièrement accueillant. Elle n'avait pas eu l'impression d'être la bienvenue, ni de revenir chez elle.

L'Amérique qu'elle connaissait apparaissait en visions sporadiques dans sa mémoire. Ce pays, qu'elle avait quitté à sept ans, prenait la forme d'un orme noueux se dressant en sentinelle devant la fenêtre de sa chambre, et d'une étendue d'herbe verte illuminée par les boutons d'or. C'était aussi une boîte aux lettres située au bout d'un long sentier sinueux. Mais par-dessus tout, l'Amérique avait le visage de l'homme qui l'avait emmenée dans des jungles africaines et des îles désertes imaginaires. Cependant, les immenses fougères et les gracieux palmiers d'Honolulu lui étaient aussi étrangers que le père pour lequel elle venait de traverser la moitié de la planète. Une vie entière semblait s'être écoulée depuis que le divorce de ses parents l'avait arrachée à ses racines.

Laine soupira. Elle n'avait eu aucune garantie en entreprenant ce voyage. L'adresse qu'elle avait retrouvée, enfouie dans les papiers de sa mère, allait-elle la conduire vers le capitaine James Simmons ? Rien n'était moins sûr. Cette petite feuille pliée et repliée plusieurs fois sur elle-même était un peu jaunie par le temps, mais c'était la seule chose qu'elle avait repêchée. Aucune correspondance, rien pour indiquer si l'adresse était toujours valable. Son père vivait-il encore sur l'île de Kauai ? Sa première impulsion avait été de lui écrire. Mais après une semaine d'indécision, elle avait fini par rejeter cette idée. Elle préférait le rencontrer. Ses économies lui permettraient tout juste de se nourrir et de se loger pendant huit jours sur l'île. Elle avait bien imaginé que ce voyage serait éprouvant, mais elle n'avait pas pu y renoncer. Outre les doutes qu'elle avait quant au succès de ce voyage, elle était taraudée par la peur qu'il se solde par un rejet.

« Je n'ai aucune raison de m'attendre à ce que mon père m'accueille à bras ouverts », songea-t-elle en accélérant le pas. Pourquoi l'homme qui n'avait pas cherché à la revoir pendant toute son enfance se soucierait-il de la femme qu'elle était devenue ?

Resserrant sa main sur la poignée de sa valise, Laine se répéta pour la énième fois qu'elle acceptait le dénouement de ce déplacement, quel qu'il soit. Après tout, elle avait appris depuis longtemps à se contenter de ce que la vie pouvait lui offrir.

D'un geste vif, elle ajusta son chapeau blanc

à bord mou sur ses boucles blondes et releva le menton. Il était hors de question de laisser voir à qui que ce soit l'anxiété tapie tout au fond d'elle.

Au bureau d'information, l'hôtesse d'accueil était plongée dans une discussion avec un homme. Leur conversation semblait agréablement animée. Laine observa leur tête-à-tête. L'homme était brun, et d'une taille intimidante. Avec un petit sourire, elle songea à ses élèves. Ils lui auraient certainement attribué le qualificatif de « séduisant ». Son visage aux contours rudes, mais très réguliers, était surmonté d'un halo de boucles noires en bataille. Sa peau bronzée le classait définitivement parmi les habitués du soleil hawaïen. Il avait un petit air canaille, une sensualité animale. Peut-être avait-il eu le nez cassé. Ce qui était loin de gâcher son profil, bien au contraire. Cela créait une légère dissymétrie, qui ajoutait à son charme. Il était vêtu d'un jean un peu râpé, effiloché, et d'une chemise en jean à manches courtes, qui laissait voir un torse et des avant-bras aussi bronzés que musclés.

Vaguement agacée, Laine poursuivit son examen. L'homme s'appuyait au comptoir avec désinvolture, un petit sourire taquin au coin des lèvres.

« Je connais ce genre d'individu », songea-t-elle avec une soudaine rancœur. Elle en avait vu plus d'un comme celui-ci tourner autour de sa mère comme un prédateur autour de sa proie. Et quand la beauté de Vanessa était devenue l'ombre d'elle-même, la meute s'était tournée vers une proie plus tendre. Laine soupira. Heureusement, elle-même avait eu la chance d'avoir des contacts très limités avec les hommes.

L'inconnu se tourna vers elle et leurs regards se rencontrèrent. Laine ne détourna pas les yeux. Une colère subite commença à monter en elle. L'homme releva un sourcil et la parcourut des yeux de la tête aux pieds, avec un petit sourire d'autosatisfaction.

Elle était vêtue d'un ensemble de soie bleu irisé qui révélait la souplesse de ses lignes gracieuses et son élégance naturelle et décontractée. Le bord de son chapeau jetait une ombre légère sur son visage à l'ovale parfait, au nez fin, très droit, aux pommettes hautes. Ses lèvres pulpeuses, bien dessinées, avaient une expression sérieuse, et ses immenses yeux bleu lavande étaient ourlés de cils épais et dorés. Il eut un petit sourire en coin. Ces cils-là étaient bien trop longs pour être authentiques. Quoi qu'il en soit, cette femme devait avoir une totale maîtrise d'elle-même, ses yeux ne cillaient pas.

Lentement, avec une insolence délibérée, il sourit. Laine soutint son regard et lutta pour empêcher une rougeur inopportune de lui monter au visage. Voyant que son interlocuteur ne lui prêtait plus attention, l'hôtesse tourna la tête vers elle. Aussitôt, elle troqua un bref instant son expression charmeuse contre une mine renfrognée.

— Puis-je vous aider ? interrogea-t-elle en retrouvant aussitôt son sourire professionnel.

Ignorant l'homme qui continuait de la dévisager, Laine s'approcha du comptoir.

— Merci. Je voudrais me rendre à Kauai.

Elle parlait avec un léger accent français.

— Il y a un charter qui part pour Kauai dans...

L'hôtesse consulta sa montre et afficha un nouveau sourire.

—... vingt minutes.

— Moi, je pars immédiatement ! dit l'homme.

Laine lui jeta un bref coup d'œil par-dessus son épaule. Il avait des yeux aussi verts que le jade chinois.

— Inutile d'attendre à l'aéroport, continua-t-il.

Son sourire s'élargit.

— Ma carlingue n'est pas aussi encombrée que le charter, et le voyage à bord est beaucoup moins onéreux.

Jusqu'à présent, elle avait toujours réussi à dissuader les gêneurs en tous genres par un regard dédaigneux et un sourcil arqué. Mais aujourd'hui, apparemment, elle n'avait pas cette chance.

— Vous avez un avion ? demanda-t-elle froidement.

— Vous avez tout compris.

Il avait mis les mains dans ses poches. Bien qu'il soit accoudé au comptoir dans une attitude désinvolte, il la dominait encore d'une tête.

— Je ne dédaigne pas la menue monnaie que me rapportent les touristes qui vont sur l'île.

— Dillon…, coupa l'hôtesse.

Mais il l'interrompit avec un sourire et un petit signe de tête dans sa direction.

— Rose se porte garante pour moi. Je travaille pour Canyon Airlines, sur Kauai.

Il présenta Rose en arborant un large sourire. Elle se mit à fouiller dans une pile de papiers.

— Dillon… je veux dire, M. O'Brian est un excellent pilote.

Rose s'éclaircit la voix et envoya à Dillon un regard éloquent.

— Si vous ne voulez pas attendre le prochain charter, je vous garantis que le vol sera tout aussi agréable dans son petit avion.

Laine se tourna vers lui. Il affichait un sourire effronté, et l'amusement se lisait dans son regard.

Il y avait de fortes chances pour que le voyage ne soit pas « agréable » du tout. Cependant, elle n'avait pas vraiment le choix. Il lui restait peu d'argent et il fallait absolument qu'elle le dépense au compte-gouttes.

— Très bien, monsieur O'Brian, j'accepte vos services.

Il lui tendit une main, paume levée. Laine baissa les yeux sur elle. Furieuse, elle les releva aussitôt. Cet homme était vraiment un grossier personnage.

— Si vous me parliez de vos tarifs, monsieur O'Brian, je serais heureuse de vous payer une fois que nous aurons atterri, dit-elle sèchement.

— Pouvez-vous me donner le ticket pour retirer vos bagages ? dit-il sans se départir de son sourire. Cela fait partie de mon travail, chère madame.

Baissant la tête pour cacher son embarras, Laine fouilla dans son sac.

— Parfait. Allons-y !

Empochant le ticket, il lui prit le bras et l'entraîna en criant à l'hôtesse :

— A la prochaine, Rose !

— Salut ! Bienvenue à Hawaii, madame, lança Rose.

Avec une petite moue désappointée, elle les regarda s'éloigner.

Peu accoutumée à être guidée d'une main si

ferme, et gênée par la rapidité à laquelle O'Brian marchait, Laine fit de son mieux pour adapter son pas au sien.

— Monsieur O'Brian, j'espère que je ne serai pas obligée d'aller jusqu'à Kauai en courant.

Faisant une pause, il se mit à rire. Laine lui décocha un regard noir. Elle était essoufflée, et furieuse qu'il s'en rende compte. O'Brian se servait de son rire comme d'une arme, étrange et puissante, contre laquelle elle n'avait pas encore développé de défense.

— Je croyais que vous étiez pressée, mademoiselle…

Il jeta un coup d'œil sur le ticket, et son sourire s'évanouit aussitôt. Le front rembruni, il leva les yeux. L'expression amusée qu'elle y avait lue quelques instants plus tôt les avait désertés. Instinctivement, Laine tenta d'échapper à sa poigne, mais il resserra son étreinte.

— Vous êtes Laine Simmons ?

C'était plus une accusation qu'une question.

— Elle-même.

Dillon la regarda en fronçant les sourcils.

— Vous allez voir James Simmons ?

Les yeux de Laine s'élargirent. Un court instant, elle eut un éclair d'espoir. Cependant, l'expression de Dillon restait hostile. Elle refréna une envie de lui poser une avalanche de questions tandis qu'elle sentait ses doigts se resserrer sur son bras jusqu'à lui faire mal.

— Je ne vois pas en quoi cela vous concerne, monsieur O'Brian. Mais je veux bien vous répondre. Oui, je vais le voir. Connaissez-vous mon père ?

Elle prononça le dernier mot d'une voix chancelante. C'était un mot qu'elle n'avait plus utilisé depuis si longtemps. Le fait de le retrouver était doux-amer.

— Oui, je le connais… beaucoup mieux que vous ne le connaissez. Eh bien, Duchesse…

Il la lâcha brusquement, comme si son contact lui était soudain désagréable.

— Je doute que quinze ans de retard soient mieux que de ne jamais revenir, mais nous nous en rendrons compte bien assez tôt. Canyon Airlines est à votre disposition !

Inclinant la tête, il fit une demi-révérence.

— Le voyage vous est offert par la compagnie. Je ne vais pas faire payer la fille prodigue de son propriétaire.

Dillon retira ses bagages et sortit du terminal sans ajouter un mot. Laine lui emboîta le pas. Elle était abasourdie, autant par son hostilité que par l'information qu'il venait de lui donner.

Son père possédait une compagnie d'aviation ? Dans son souvenir, James Simmons était pilote, et le fait de posséder des avions n'était qu'un rêve qui lui semblait inaccessible. Quand était-il devenu réalité ? Et pourquoi l'homme qui se trouvait devant elle et qui enfournait dans la soute à bagages les luxueuses valises qu'elle avait empruntées à sa mère se montrait-il si odieux depuis qu'il avait appris son nom ? Comment savait-il que quinze années s'étaient écoulées depuis la dernière fois qu'elle avait vu son père ? Elle ouvrit la bouche pour lui poser toutes ces questions pendant qu'il contournait le nez de l'avion. Mais comme il se tournait vers elle et la dévisageait d'un regard haineux, elle préféra s'abstenir.

— Vous pouvez monter, Duchesse ! Il va falloir nous supporter mutuellement pendant vingt minutes.

— Je m'appelle Laine Simmons !

Faisant comme s'il n'avait rien entendu, il s'approcha d'elle et posa les mains sur sa taille. Il la hissa avec la même facilité que si elle avait été un simple coussin de plumes. Puis il se glissa dans le cockpit. Laine poussa un soupir imperceptible. Il lui était pénible d'être à ce point consciente de la virilité de Dillon. Elle feignit de l'ignorer et se concentra sur la fermeture de sa ceinture de sécurité. Puis elle observa Dillon du coin de l'œil pendant qu'il allumait le tableau de bord. Bientôt, le moteur se mit à vrombir.

Quelques secondes plus tard, la mer étalait ses bleus et verts transparents sous leurs yeux. Les plages de sable blanc étaient couvertes d'adorateurs du soleil. Des montagnes aux sommets déchiquetés apparurent. Alors qu'ils gagnaient de la hauteur, les couleurs du paysage devinrent encore plus intenses. Laine n'en croyait pas ses yeux. Elles paraissaient presque artificielles. Bientôt, les teintes se fondirent entre elles. Les bruns, les gris et les bleus s'adoucirent avec la distance. Des éclats écarlates et jaunes se mélangèrent avant de s'évanouir. L'avion s'éleva dans un puissant grondement, puis ses ailes s'inclinèrent quand il traça un arc incurvé, et il fila dans le ciel.

— Kauai est un paradis naturel, commença Dillon du ton d'un guide touristique.

Il s'appuya au dossier de son siège et alluma une cigarette.

— Sur la côte Nord, vous trouverez des kilomètres de plages, de champs de canne à sucre et d'ananas ; la végétation est exceptionnelle. La rivière Wailua, qui se termine à la grotte des Fougères, les chutes d'Opaekaa, la baie d'Hanalei et la côte Na Pali, valent aussi le détour.

Laine fit un effort pour l'écouter attentivement.

— Sur la côte Sud, continua-t-il, nous avons le parc de Kokie State et le canyon Waimea. Olopia et les jardins de Menehune sont remplis de fleurs et d'arbres tropicaux. Il est possible de pratiquer un sport nautique presque partout, sur cette île.

Il fit une courte pause et la regarda du coin de l'œil.

— Pourquoi diable êtes-vous venue ?

La question tomba si abruptement que Laine sursauta. Elle posa sur lui un regard effaré.

— Pour… voir mon père.

— Vous y avez mis le temps, grommela Dillon.

Il tira longuement sur sa cigarette. Tournant la tête vers elle, il la dévisagea.

— Je suppose que vous étiez très occupée à suivre les cours de cette école pour gosses de riches.

Laine fronça les sourcils. Pendant près de quinze ans, l'école dans laquelle elle avait été pensionnaire avait représenté pour elle à la fois un foyer et un refuge. Décidément, Dillon O'Brian disait n'importe quoi. Mais ce n'était pas la peine de le contredire. A voir son agressivité, il devait lui manquer une case.

— C'est dommage que vous n'ayez pas bénéficié de cette expérience, rétorqua-t-elle d'un air faussement désinvolte. Je vous assure que cette école fait des miracles avec les gens mal dégrossis dans votre genre. Elle sait admirablement adoucir les mœurs de certains.

— Merci, Duchesse.

Voyant qu'elle se raidissait, il eut un sourire en coin et souffla un panache de fumée.

— Mais je préfère la vulgarité honnête, continua-t-il.

— Il semble que vous n'en manquiez pas !

— La vie sur l'île est un peu sauvage, parfois.

Il lui décocha un regard ironique.

— Je doute qu'elle s'accorde à vos goûts.

— Je suis capable de m'adapter, monsieur O'Brian.

Laine haussa légèrement les épaules.

— Je peux aussi ignorer un certain manque de courtoisie pendant de courtes périodes. Il se trouve que vingt-huit minutes est juste au-dessous de mes limites.

— Fantastique. Mais dites-moi, mademoiselle Simmons, continua-t-il avec un respect exagéré, comment est la vie sur le continent ?

— Merveilleuse.

Délibérément, elle inclina la tête et le regarda par-dessous le bord de son chapeau.

— Les Français sont si bien élevés, tellement civilisés. On se sent…

Essayant d'imiter le vernis facile de sa mère, elle fit un large geste du bras et prit l'accent français.

— On se sent tellement *chez soi*, avec des gens qui vous correspondent.

— Admirable ! dit-il, de plus en plus narquois

en gardant les yeux fixés sur le ciel. Je crains que vous ne trouviez pas beaucoup de personnes qui vous correspondent sur Kauai.

— Je ne vois pas en quoi cela vous concerne.

Laine repoussa la pensée de son père et secoua la tête.

— Mais une fois de plus, je pense que je peux trouver cette île aussi agréable à vivre que Paris.

— Je suis sûr que là-bas, vous trouvez les hommes à votre goût.

Dillon écrasa son mégot d'un mouvement rapide. Laine poussa un soupir imperceptible. Sa colère remontait, revigorée. Le nombre d'hommes qu'elle avait eu l'occasion de côtoyer était ridicule. Elle eut un petit sourire amer.

— Les hommes de ma connaissance — elle s'excusa mentalement auprès du père Rennier, le plus âgé — sont cultivés, élégants et de bonne origine. Ce sont des intellectuels qui ont beaucoup de discernement, d'excellentes manières et une sensibilité que je ne trouve pas chez les Américains.

— Vraiment ? fit doucement Dillon.

— Absolument, monsieur O'Brian, dit-elle d'une voix glaciale.

— Eh bien, je vais tâcher d'être à la hauteur de cette réputation…

Il enclencha le pilotage automatique et se tourna sur son siège. En un clin d'œil, il la prit dans ses bras. Le souffle coupé, elle sentit ses lèvres sur les siennes avant de comprendre ce qui lui arrivait.

Prisonnière de ses bras vigoureux, elle ne pouvait pas se débattre. Cependant, les battements fous de son cœur étaient là pour lui rappeler que d'autres liens la ligotaient : ses propres sens. Qu'elle le veuille ou non, le baiser de Dillon la déstabilisait complètement. Sa tête lui disait qu'elle aurait dû réagir, mais elle en était incapable. Bientôt, Dillon lui fit entrouvrir les lèvres du bout de la langue, disséminant dans tout son corps des sensations d'une violence inimaginable. Prise de vertige, elle s'accrocha des deux mains à sa chemise.

Dillon prit son visage entre ses mains et plongea un regard pénétrant dans le sien. Il fronça aussitôt les sourcils. Les yeux de Laine trahissaient une intense émotion, et une vulnérabilité qu'il n'avait pas soupçonnée. A contrecœur, il la libéra lentement et se tourna vers le tableau de bord. Il reprit le pilotage manuel.

— On dirait que vos amants français ne vous ont pas préparée à la technique américaine, dit-il d'un ton narquois.

Piquée au vif, et furieuse contre elle-même d'avoir montré sa faiblesse, Laine se tourna vers lui.

— Votre technique, monsieur O'Brian, est aussi grossière que vos manières.

Haussant les épaules, il eut un large sourire.

— Soyez reconnaissante, Duchesse, que je ne vous aie pas jetée par la portière. Voilà vingt minutes que je lutte contre cette envie.

— Cela prouve que vous êtes capable de sagesse, ce que je n'aurais pas cru, rétorqua-t-elle.

Sa mauvaise humeur commençait à prendre des proportions alarmantes. Mais elle devait la combattre, coûte que coûte. Il n'était pas question de laisser comprendre à cet homme odieux et arrogant que son baiser lui avait mis les nerfs à vif.

L'avion plongea subitement. La mer se rapprocha d'eux à une vitesse terrifiante. La mer et le ciel formaient maintenant une étendue de bleus interchangeables, et de blancs, celui des nuages et celui de l'écume qui se mélangeaient. Agrippée aux accoudoirs, Laine ferma les yeux tandis que l'avion entamait quelques manœuvres acrobatiques. Elle ne pouvait même pas protester. Elle avait perdu sa voix, et son cœur avait chaviré dès la première boucle. Elle s'accrocha en priant silencieusement que son estomac veuille bien en faire autant. L'avion se stabilisa, mais la même sensation de tourbillon ne la quitta pas pendant plusieurs secondes. Dillon éclata de rire.

— Vous pouvez ouvrir les yeux, mademoiselle Simmons. Nous allons atterrir dans une minute.

Se tournant de nouveau vers lui, elle lui asséna quelques commentaires peu flatteurs sur sa personnalité. Quelques instants plus tard, elle fit une pause et prit une profonde inspiration. Elle avait parlé en français !

— Vous êtes l'homme le plus détestable que j'aie jamais rencontré, monsieur O'Brian, termina-t-elle en anglais.

— Merci, Duchesse !

Ravi, il se mit à fredonner.

Laine se força à garder les yeux ouverts quand il recommença à descendre. Elle eut une brève vision de verts et de bruns qui se fondaient avec le bleu, puis les montagnes se dressèrent, et le train d'atterrissage se posa sur l'asphalte. Après avoir roulé quelques secondes, l'avion s'immobilisa. Stupéfaite, Laine examina les hangars, les avions, les bimoteurs et les jets.

« Il doit y avoir une erreur, songea-t-elle. Mon père ne peut pas posséder tout cela. »

— Ne vous faites pas d'illusions, Duchesse, fit remarquer Dillon en voyant son expression.

Il pinça les lèvres.

— Rien de tout cela ne vous reviendra, pas la plus petite partie. Et même si le capitaine était enclin à la générosité, son associé rendrait les choses très difficiles. Il faudra aller chercher fortune ailleurs.

Il sauta à terre. Sans bouger, Laine posa sur lui un regard incrédule. Avec un soupir, elle finit par déboucler sa ceinture et se prépara à descendre de la carlingue. Mais Dillon la saisit par la taille avant qu'elle n'ait mis les pieds par terre. Un bref instant, il la maintint au-dessus du sol. Leurs visages étaient à deux doigts l'un de l'autre. Encore une fois, elle sentit son cœur battre trop vite. Les yeux verts de Dillon étaient envoûtants.

— Faites attention où vous mettez les pieds, conseilla-t-il avant de la poser.

Laine recula, dans un réflexe de protection contre l'hostilité qu'elle sentait dans sa voix. Prenant son courage à deux mains, elle releva le menton et soutint son regard.

— Monsieur O'Brian, pourriez-vous me dire, s'il vous plaît, où je puis trouver mon père ?

Il la dévisagea un instant. Il allait certainement refuser de la renseigner et la planter là, songea-t-elle. Mais il finit par désigner de la main un petit bâtiment blanc.

— Dans son bureau ! dit-il d'un ton rude avant de tourner les talons.

Chapitre 2

Le bâtiment était de taille moyenne. Des palmiers et des hibiscus flamboyants flanquaient la porte principale. La gorge serrée, Laine entra. Ses jambes menaçaient de l'abandonner. Qu'allait-elle dire à l'homme qui l'avait laissée se débattre dans la solitude pendant quinze ans ? Quels mots allait-elle trouver pour jeter un pont au-dessus du ravin qui s'était creusé entre eux, et pour exprimer le besoin qu'elle n'avait jamais cessé d'éprouver ? Serait-il nécessaire de poser des questions, ou pourrait-elle oublier les raisons de cet abandon et se contenter d'accepter ?

Elle avait une vision de son père aussi précise et vivante que si elle l'avait vu la veille. L'ombre du temps ne l'avait pas ternie. Cependant, il était beaucoup plus âgé maintenant, et elle aussi. Elle n'était plus une petite fille qui suivait son idole à la trace, mais une femme qui allait rencontrer l'homme qui l'avait engendrée. Ils avaient changé, elle et lui. Et qui sait ? Peut-être cela serait-il un avantage pour tous les deux ?

La première pièce dans laquelle elle entra était meublée en rotin, et plusieurs tapis tissés laissaient voir le sol en carreaux rouges. Jetant un coup d'œil autour d'elle, elle éprouva une étrange sensation de solitude et d'insécurité. Soudain, une voix masculine se fit entendre par une porte entrouverte. Laine s'approcha. L'homme était assis derrière son bureau. Il téléphonait.

Malgré la marque des ans sur son visage, elle le reconnut aussitôt. Le soleil avait tanné sa peau, mais ses traits étaient ceux qu'elle avait gardés à la mémoire. Ses épais sourcils grisonnaient, ainsi que sa chevelure, encore abondante. Elle reconnaissait son nez assez fort et très droit, ses lèvres minces. Tout en parlant, il se passa une main dans les cheveux. C'était un geste qu'il avait l'habitude de faire, et qu'elle n'avait pas oublié non plus.

Les yeux rivés sur lui, elle attendit que sa conversation téléphonique soit terminée. Quand il posa enfin le récepteur, elle fit un pas dans le bureau. Après avoir péniblement avalé sa salive, elle dit doucement :

— Bonjour, Cap'taine !

Dès que James Simmons eut tourné la tête vers elle, l'étonnement se peignit sur son visage. Une vague d'émotion teintée de douleur passa dans son regard. Quand il se leva, elle eut un léger choc. Il n'était pas aussi grand que dans son souvenir.

— Laine ?

Il avait une voix hésitante, et une réserve qui la retint de se précipiter vers lui. C'était bien ce qu'elle avait redouté : il ne la recevait pas à bras ouverts. Mais il ne fallait pas qu'elle se laisse abattre.

— C'est bon de te voir, dit-elle d'une voix émue.

Détestant l'inanité de ces paroles, elle entra dans la pièce et lui tendit la main.

Après quelques secondes, James Simmons la prit dans la sienne et la garda un instant.

— Tu as grandi.

Il la scrutait lentement, arborant un sourire figé.

— Tu ressembles à ta mère. Plus de queue-de-cheval ?

Il observa son visage brusquement illuminé par un large sourire, et sa propre expression se réchauffa.

— Non. Il n'y avait plus personne pour la tirer ! répondit-elle.

James Simmons retrouva vite son attitude réservée, et la gêne se réinstalla entre eux. Laine chercha désespérément un sujet de conversation.

— Tu as ton aéroport, tu dois être très heureux. J'aimerais le visiter.

— Nous allons organiser ça.

Le ton poli, impersonnel, qu'il adopta lui fit l'effet d'un coup de fouet en plein visage.

Laine s'approcha de la fenêtre et regarda dehors à travers un brouillard de larmes.

— C'est très impressionnant, commenta-t-elle d'une voix aussi ferme que possible.

— Merci, nous en sommes très fiers.

Il toussota pour s'éclaircir la gorge.

— Combien de temps vas-tu rester à Hawaii ?

Laine s'agrippa à l'appui de la fenêtre. Même quand elle avait envisagé le pire, ses angoisses les plus profondes ne l'avaient pas préparée à souffrir à ce point. Mais elle devait tenir bon et lui répondre sur le même ton.

— Quelques semaines, peut-être… je n'ai pas d'emploi du temps très défini. Je suis venue… je suis venue directement ici.

Se retournant, elle se mit à parler très vite pour remplir le vide vertigineux qui s'était installé entre eux.

— Je pense qu'il y a un tas de choses à voir. Le pilote qui m'a amenée ici m'a dit que Kauai est une île magnifique, avec des jardins et…

Elle essaya de se rappeler les particularités dont Dillon lui avait parlé. Mais ce fut en vain.

— Et des forêts.

Sans se départir de son sourire crispé, elle continua :

— As-tu un hôtel à me recommander ?

James Simmons la dévisageait. Elle lutta pour ne pas éclater en sanglots.

— Tu es la bienvenue chez moi, finit-il par dire après quelques secondes de silence.

Oubliant sa fierté, elle accepta. Si elle descendait à l'hôtel, elle serait peut-être obligée de repartir plus tôt que prévu.

— Merci. Cela me fait très plaisir.

Il hocha la tête et feuilleta quelques papiers sur son bureau.

— Comment va ta mère ? demanda-t-il sans la regarder.

— Elle est morte il y a trois mois, murmura-t-elle.

Levant sur elle un regard acéré, son père ne fit rien pour cacher la douleur qui se lisait sur son visage. Il s'assit lourdement.

— Je suis désolé, Laine. A-t-elle été malade ?

— Elle a eu…

Elle ravala le nœud qui lui obstruait la gorge.

— Elle a eu un accident de voiture.

— Je vois.

Il hocha lentement la tête et reprit un ton impersonnel.

— Si tu m'avais écrit, j'aurais pris l'avion pour venir t'aider.

Laine ne dit rien. Plongée dans ses pensées, elle secoua la tête et retourna près de la fenêtre.

Elle avait éprouvé une véritable panique à la mort de sa mère. Puis une espèce d'engourdissement s'était emparé d'elle, et elle s'était sentie incapable de traiter les affaires que Vanessa avait laissées en suspens, notamment une montagne de dettes à régler, et quelques actions de peu de valeur à vendre.

— Je me suis débrouillée, dit-elle doucement.

— Laine, pourquoi es-tu venue ?

Il était retourné derrière son bureau, dont il tenait le bord des deux mains. Sa voix s'était radoucie.

— Pour voir mon père, répondit-elle d'un ton curieusement dépourvu d'émotion.

— Cap'taine !

L'interpellation lui fit faire volte-face. Dillon était sur le seuil. Il la déshabilla encore du regard avant de poser ses incroyables yeux verts sur James.

— Chambers part vers le continent. Il veut te voir avant de jeter l'ancre.

— J'arrive ! dit James. Laine…

Il gesticula maladroitement avant de faire les présentations.

— Je te présente Dillon O'Brian, mon associé. Dillon, voici ma fille, Laine Simmons.

— Nous nous sommes déjà rencontrés.

Dillon eut un bref sourire. Laine arriva à hocher vaguement la tête.

— Oui, M. O'Brian a eu la gentillesse de m'amener ici depuis l'aéroport d'Oahu. Le voyage a été vraiment… fascinant.

— Merci, Dillon, dit James.

S'approchant de lui, il lui posa une main amicale sur l'épaule.

— Tu veux bien conduire Laine chez moi ? Et veiller à ce qu'elle s'installe ? Elle doit être fatiguée.

Laine ne quittait pas son père des yeux. Il échangea avec Dillon un regard complice, dont le sens lui échappa. Dillon acquiesça d'un signe de tête.

— Avec plaisir, dit-il.

— Je reviens dans deux heures, continua James.

Il se tourna vers Laine et resta silencieux.

— D'accord, fit-elle d'un air faussement enjoué.

Elle commençait à en avoir assez de son sourire forcé, aussi le laissa-t-elle s'éteindre.

— Merci, ajouta-t-elle.

Son père hésita une fraction de seconde, puis il sortit, la laissant seule avec Dillon.

« Il ne faut pas que je pleure, se dit-elle. Pas devant cet homme. » Si elle ne possédait pas grand-chose, du moins lui restait-il son amour-propre.

— Quand vous voudrez, mademoiselle Simmons ! dit Dillon d'une voix railleuse.

Passant devant lui, elle lui jeta un coup d'œil par-dessus son épaule.

— J'espère que vous conduisez plus tranquillement quand vous êtes en voiture que lorsque vous pilotez un avion, monsieur O'Brian.

Il lui opposa un haussement d'épaule énigmatique.

— Vous allez bientôt le savoir.

Laine regarda ses bagages, qui les attendaient à côté d'un coupé décapotable. Elle leva les yeux sur lui.

— Décidément, vous êtes très efficace.

Il commença à les mettre dans le coffre.

— En réalité, j'avais espéré les renvoyer en même temps que vous à la destination d'où vous venez. Mais visiblement, c'est inenvisageable pour l'instant.

Il se glissa au volant et fit démarrer le moteur. Laine s'installa à côté de lui. Il n'avait pas pris la peine de lui ouvrir la portière. Dès qu'elle l'eut refermée, il fit bondir la voiture en avant à une vitesse qui la plaqua contre le dossier confortablement rembourré.

Tandis qu'il manœuvrait habilement dans la circulation de l'aéroport, il demanda sans se soucier de faire des préliminaires :

— Que lui avez-vous dit ?

— Le fait que vous soyez l'associé de mon père ne vous donne pas le droit de connaître nos conversations privées, rétorqua-t-elle d'une voix pleine de rancœur.

— Ecoutez, Duchesse, je ne vais pas rester les bras croisés pendant que vous venez semer la perturbation dans la vie du capitaine. Je n'ai pas aimé l'expression qu'il avait quand je suis arrivé dans son bureau. Je vous ai laissée dix minutes, et pendant ces dix minutes, vous vous êtes débrouillée pour le blesser. Ne m'obligez pas à arrêter la voiture et à vous convaincre de me répondre.

Il fit une courte pause puis, baissant la voix :

— Vous trouveriez mes méthodes peu raffinées.

La menace vibrait dans ses paroles prononcées d'une voix tranquille.

Soudain, Laine se sentit trop fatiguée pour se battre. Après plusieurs nuits blanches et des journées de pression et d'anxiété, sans parler du long voyage fastidieux qu'elle venait de faire, elle n'en pouvait plus. D'un geste las, elle ôta son chapeau et se laissa aller contre l'appui-tête en fermant les yeux.

— Monsieur O'Brian, je n'avais aucunement l'intention de blesser mon père. Pendant ces dix minutes, nous nous sommes dit très peu de choses. Peut-être est-ce l'annonce de la mort de ma mère qui l'a bouleversé. Quoi qu'il en soit, il aurait fini par l'apprendre.

Elle parlait d'une voix blanche. Il lui jeta un coup d'œil en biais. C'était surprenant de la voir si fragile, maintenant que son visage n'était plus partiellement caché par le chapeau. Elle avait les cheveux clairs, une peau d'ivoire. Pour la première fois, il vit des traces violettes sur ses paupières.

— Il y a combien de temps ?

Troublée, Laine ouvrit les yeux. Ne venait-elle pas de discerner une marque de sympathie dans son ton ?

— Trois mois, répondit-elle.

Elle tourna la tête vers lui pour le regarder en face.

— Elle a eu un accident de voiture. Elle est rentrée dans un poteau téléphonique. Il paraît qu'elle est morte sur le coup.

« Et sans souffrir, anesthésiée par les nombreuses coupes de champagne qu'elle avait absorbées avant de prendre le volant », ajouta-t-elle mentalement.

Dillon resta silencieux. Laine poussa un léger soupir. Elle était soulagée. Dieu merci, Dillon ne se croyait pas obligé de lui sortir des fadaises en signe de sympathie. Elle avait eu sa dose de formules toutes prêtes. Son silence était beaucoup plus appréciable. Du coin de l'œil, elle étudia son profil aux contours précis, sa bouche ferme, qui semblait toujours avoir un petit sourire ironique. Comment cet homme, qui avait un comportement si peu raffiné, pouvait-il être doté de ce profil parfait ? C'était un mystère.

Laine tourna les yeux vers le paysage.

L'air était imprégné de l'odeur du Pacifique. Les couleurs étaient étourdissantes. Des pins tortueux, d'un vert velouté très profond, se laissaient bercer par la brise légère. Le bleu de l'eau étincelante contrastait avec le sable blanc. D'immenses arbres en forme de dômes étendaient leur ombre, semblant inviter le passant à venir s'y reposer.

De la voiture, Laine n'avait que de brefs aperçus de la mer. Le soleil tombait en nappes de lumières, offrant sa chaleur, de sorte que les fleurs n'avaient pas à se tendre vers lui mais baignaient paresseusement dans son éclat.

Dillon tourna dans une allée bordée de palmiers au tronc massif. En voyant la maison carrée, à deux étages, Laine sourit. Une agréable impression de fraîcheur s'en dégageait, avec ses lignes simples et ses murs blancs. Malgré ses nombreuses fenêtres, riantes sous les rayons du soleil, elle donnait une impression de robustesse. Laine eut un petit soupir de plaisir. Pour la première fois, elle avait l'impression d'être la bienvenue.

— Elle est adorable.

— Pas aussi luxueuse que vous deviez l'imaginer, objecta Dillon en garant la voiture au bout de l'allée. Mais Cap'taine l'aime telle qu'elle est.

Laine se raidit imperceptiblement. Apparemment, la trêve était déjà terminée. Dillon descendit du véhicule et alla prendre les bagages dans le coffre.

Sans faire de commentaire, elle ouvrit sa portière et se glissa dehors. Abritant ses yeux du soleil, elle examina la demeure de son père. Quelques marches d'escalier conduisaient à un porche arrondi. Dillon les grimpa prestement et entra sans s'annoncer. Laine le suivit.

— Fermez la porte ! Je n'aime pas les insectes ! dit une voix féminine au fort accent de l'île.

Levant les yeux, Laine resta muette de stupeur et d'admiration. Une femme très corpulente descendait l'escalier intérieur avec la vélocité et la grâce d'une fillette de dix ans. Elle était vêtue d'un sarong de soie moirée, noué à la taille. Ses magnifiques cheveux noirs tirés en arrière étaient attachés sur la nuque. Sa peau avait la nuance du miel de châtaignier et ses yeux noirs, veloutés, étaient largement espacés. Il était difficile de lui donner un âge. Elle baissa les yeux et examina longuement Laine, sans la moindre inhibition.

— Qui est-ce ? demanda-t-elle à Dillon en croisant les bras sur son imposante poitrine.

— C'est la fille de Cap'taine Simmons.

Posant les valises, il s'accouda à la rampe et observa les deux femmes.

— La fille de Cap'taine Simmons…

Elle fit une petite moue et plissa les yeux.

— Mon Dieu ! Elle est ravissante, mais bien trop pâle et trop maigre. Vous ne mangez jamais ?

S'approchant de Laine, elle prit ses poignets entre le pouce et l'index.

— Eh bien, oui, je mange…

— Pas assez, apparemment !

Lui lâchant le bras, la femme lui tripota une boucle de cheveux, qu'elle étudia avec intérêt.

— Mmm… très jolis, très jolis. Mais pourquoi les porter si courts ?

— Je…

— Vous auriez dû venir des années plus tôt. Enfin, vous êtes là maintenant.

Hochant la tête, elle lui caressa la joue.

— Vous devez être épuisée. Je vais préparer votre chambre.

— Merci, je…

— Mais vous allez commencer par manger, ordonna la femme avant de hisser deux valises au premier étage.

— C'est Miri, déclara Dillon en fourrant les mains dans ses poches. Elle dirige la maison.

— Oui, c'est ce que j'ai cru comprendre.

Incapable de s'en empêcher, elle porta une main à ses cheveux. Etaient-ils vraiment trop courts ?

— N'auriez-vous pas dû monter les bagages vous-même ? interrogea-t-elle.

— Miri pourrait m'emporter sur son dos en haut de l'escalier sans même prendre le temps de ralentir. De plus, il ne faut pas se mêler de ce qu'elle considère comme son devoir.

Il l'attrapa par un bras et lui fit traverser le hall.

— Venez, je vais vous servir un verre.

Aussi à l'aise que s'il était chez lui, Dillon ouvrit un placard à double porte. Laine observa la pièce aux murs blanc cassé. La simplicité régnait à l'intérieur comme à l'extérieur. A voir l'état impeccable de la cuisine, il était clair que Miri était d'une rare efficacité. Cependant, il n'y avait vraisemblablement pas de place pour une femme dans cet univers typiquement masculin.

— Que voulez-vous boire ?

La question de Dillon la tira de ses réflexions. Laine secoua la tête et posa son chapeau sur une petite table, où il parut ridicule, complètement déplacé.

— Rien, merci, répondit-elle.

— Mettez-vous à l'aise.

Il versa une mesure de liqueur dans un verre et s'assit sur une chaise.

— Nous n'avons pas l'habitude de faire des formalités, Duchesse. Tant que vous résiderez ici, vous devrez vous contenter d'un mode de vie tout ce qu'il y a de plus rustique.

Laine posa son sac près de son chapeau.

— Est-il malgré tout permis de se laver les mains avant de passer à table ?

— Pas de problème, dit-il, ignorant le sarcasme. Nous ne manquons pas d'eau.

— Où vivez-vous, monsieur O'Brian ?

— Ici.

Il allongea les jambes et lui adressa un sourire satisfait. Laine fronça les sourcils.

— Pour une ou deux semaines, précisa-t-il. Pendant que je fais faire quelques travaux dans ma maison.

— Comme c'est dommage ! Pour vous comme pour moi ! commenta-t-elle en allant et venant dans la pièce.

— Ne vous inquiétez pas, vous allez survivre, Duchesse.

Levant son verre, il dit d'une voix narquoise :

— Je suppose que vous avez déjà eu une foule d'expériences dans le domaine de la survie.

— Vous ne croyez pas si bien dire, monsieur O'Brian. En revanche, j'ai le sentiment que vous, vous n'en avez pas la moindre.

Il éclata de rire.

— Vous ne manquez pas de cran, chère madame !

Il but d'un trait. Quand elle se retourna pour lui faire face, il se renfrogna.

— Votre opinion est dûment notée et classée, ironisa-t-elle.

— Avez-vous fait ce voyage pour avoir encore plus d'argent ? Est-il possible que vous soyez cupide à ce point ?

Il se leva d'un mouvement souple, traversa la pièce et la saisit par les épaules avant qu'elle puisse échapper à sa colère.

— N'avez-vous pas suffisamment pressé votre père comme un citron ? Sans jamais rien lui offrir en retour, ni prendre la peine de répondre à ses lettres ! En laissant les années s'accumuler sans donner le moindre signe de vie ! Bon sang, qu'espérez-vous encore lui soutirer ?

Il reprit son souffle, le regard rivé sur elle. Livide, Laine avait les yeux arrondis de stupeur. La voyant chanceler, il la soutint et l'observa d'un air confus.

— Qu'êtes-vous venue faire ici ? dit-il plus doucement.

— Je… monsieur O'Brian, finalement, je boirais bien quelque chose, s'il vous plaît.

Dillon fronça les sourcils. Il l'accompagna vers une chaise avant de lui remplir un verre. Laine accepta la boisson en murmurant un vague remerciement. La première gorgée la fit grimacer. Elle n'était pas habituée à la brûlure du cognac. Cependant, la pièce se stabilisa bientôt autour d'elle et la brume qui s'était étendue devant ses yeux s'éclaircit.

— Monsieur O'Brian, je... dois-je comprendre...

Faisant une pause, elle ferma un instant les yeux.

— Etes-vous en train de me dire que mon père m'a écrit ?

— Vous le savez parfaitement ! répondit-il d'un ton furieux. Il est venu dans ces îles juste après que vous et votre mère l'avez quitté, et il vous a écrit régulièrement. La dernière lettre date de cinq ans. A partir de ce moment-là, il s'est découragé. Mais il a continué à vous envoyer de l'argent.

Dillon alluma son briquet.

— Oui, les mandats sont partis jusqu'à ce que vous ayez vingt et un ans, au début de l'année, précisa-t-il.

— Vous mentez ! s'écria Laine en bondissant de sa chaise.

Dillon lui jeta un coup d'œil étonné. Elle avait les joues en feu, les yeux étincelant de rage.

— Tiens, tiens, on dirait que la jeune fille de glace a fondu ! dit-il en ricanant.

Il souffla un panache de fumée et se remit à parler d'un air sérieux.

— Je ne mens jamais, Duchesse. Je trouve la vérité beaucoup plus intéressante.

— Il ne m'a jamais écrit ! Jamais !

Elle se dirigea vers lui.

— Pas une seule fois pendant toutes ces années. Toutes les lettres que je lui ai envoyées me sont revenues, parce qu'il avait déménagé sans même me dire où il allait.

Lentement, Dillon écrasa son mégot et se leva. Il se planta devant elle.

— Croyez-vous me faire avaler cette salade ? Vous vous trompez d'interlocuteur, mademoiselle Simmons. J'ai vu les lettres que le Cap'taine envoyait, *ainsi que* les chèques, chaque mois.

Tendant la main vers elle, il fit courir un doigt le long de sa manche.

— Apparemment, vous avez fait bon usage de son argent.

— Je vous ai dit que je n'avais jamais reçu le moindre courrier, avec ou sans chèque !

Laine repoussa sa main et pencha la tête en arrière pour le regarder dans les yeux.

— Je n'ai plus reçu la moindre nouvelle de mon père depuis que j'ai eu sept ans.

— Mademoiselle Simmons, j'ai mis moi-même plus d'une lettre à la poste. Ce n'était pourtant pas l'envie qui me manquait de les jeter dans le Pacifique. Des cadeaux, aussi. Les premières années, c'étaient des poupées. Vous devez avoir une sacrée collection de poupées en porcelaine. Ensuite, ce furent les bijoux. Je me souviens très précisément du cadeau que Cap'taine vous a envoyé pour vos dix-huit ans : des boucles d'oreilles en opale, en forme de fleurs.

— Des poupées, des boucles d'oreilles, murmura Laine.

Soudain, la pièce recommença à tourner autour d'elle. Elle prit une profonde inspiration.

— Exactement, confirma-t-il d'une voix rude.

Il se servit un autre verre de cognac.

— Tous ces cadeaux sont partis à la même adresse : 17, rue de la Bourse, à Paris, précisa-t-il.

Sentant de nouveau le sang se retirer de son visage, elle leva une main vers sa tempe.

— L'adresse de ma mère...

Elle alla s'asseoir avant que ses jambes ne la trahissent.

— Moi, j'étais en pension. Mais ma mère vivait à cette adresse.

Dillon but une petite gorgée avant de revenir s'asseoir sur le canapé.

— Vos études ont été longues et coûteuses.

Laine hocha vaguement la tête. La pension dans laquelle elle avait passé toutes ces années n'avait rien de luxueux, avec sa nourriture simple mais saine, ses draps de coton et ses fuites dans le toit. Laine pressa ses paupières du bout des doigts.

— Je ne savais pas que c'était mon père qui finançait mes études.

— Ah oui ? Vous ne vous demandiez pas qui payait pour que vous puissiez porter des vêtements à la mode et suivre des cours de peinture ?

Laine soupira. Pourquoi fallait-il qu'il prenne ce ton terriblement blessant ? Elle agita légèrement les mains avant de les laisser retomber sur ses genoux.

— Vanessa... je veux dire, ma mère, me disait qu'elle avait des revenus. Je ne posais pas de questions. Elle ne m'a jamais parlé des lettres de mon père, répondit-elle d'une voix morne.

Dillon se leva, horripilé.

— C'est la chanson que vous voulez chanter à votre père ? Quelle comédienne vous faites ! Si je ne connaissais pas la vérité, je pourrais vous croire !

— Non, monsieur O'Brian. Mais au point où nous en sommes, cela n'a plus beaucoup d'importance, n'est-ce pas ? De toute façon, je doute qu'il soit plus enclin que vous à m'écouter. Je vais lui faire une brève visite et je retournerai en France.

Prenant son verre, elle plongea son regard dans le liquide couleur d'ambre. Elle l'examina un instant d'un air rêveur. Etait-ce l'alcool qui lui paralysait ainsi les méninges ?

— J'aimerais rester une semaine ou deux. J'apprécierais que vous ne parliez pas de notre conversation à mon père. Cela ne ferait que compliquer les choses.

Dillon eut un rire bref, puis il sirota sa boisson.

— Rassurez-vous, je n'avais aucunement l'intention de lui dévoiler le moindre détail de ce petit conte de fées.

— Donnez-moi votre parole, monsieur O'Brian.

Surpris, Dillon la dévisagea. L'anxiété était presque palpable dans la voix de Laine Simmons.

— Je veux votre parole ! répéta-t-elle.

Elle planta les yeux dans les siens, et soutint son regard.

— Vous avez ma parole, mademoiselle Simmons, finit-il par dire à voix basse.

Hochant la tête, elle prit son sac et son chapeau et se leva.

— Je vais aller dans ma chambre maintenant. Je suis très fatiguée.

Dillon ne broncha pas. Il fronçait les sourcils en regardant son verre de cognac. Sans jeter un coup d'œil derrière elle, Laine quitta la pièce.

Chapitre 3

Laine étudia son visage, dans le miroir. Il était pâle, avec des yeux élargis et cernés. Attrapant son poudrier, elle se passa un peu de poudre sur les joues.

Elle connaissait depuis longtemps les défauts de sa mère, notamment son égoïsme et sa superficialité. Naturellement, pendant son enfance, il était facile d'ignorer ses failles et de la mettre sur un piédestal quand elle venait la voir. Ses visites étaient rares, mais toujours excitantes. Elle la voyait comme un personnage de conte de fées. Les crèmes glacées et les robes de soirées offraient un tel contraste avec le porridge et l'uniforme quotidiens. Cependant, à mesure qu'elle grandissait, les visites s'espaçaient de plus en plus. Elles devenaient plus courtes, aussi. Et progressivement, elle s'était habituée à passer ses vacances dans le giron des bonnes sœurs. Elle avait commencé à comprendre, avec une certaine lucidité, l'attitude égoïste de sa mère, qui souhaitait par-dessus tout garder éternellement sa beauté et sa jeunesse. Une fille ne pouvait que lui faire de l'ombre. En grandissant, elle lui rappelait trop son âge, et le fait qu'elle n'était pas éternelle.

Vanessa avait toujours eu peur d'être perdante. De perdre son apparence, sa jeunesse, ses amis, ses amants, malgré les tonnes de crèmes et de potions, de teintures et de lotions qu'elle utilisait.

Fermant les yeux, Laine poussa un soupir. Oui, elle se souvenait très bien de la collection de poupées en porcelaine. Elle avait toujours cru qu'elle appartenait à sa mère. Il y en avait douze, chacune provenant d'un pays différent. La poupée espagnole était particulièrement belle, avec son grand peigne et sa mantille. Laine ferma les yeux. Quant aux boucles d'oreilles… Rouvrant les yeux, elle posa violemment sa brosse et se mit à arpenter fébrilement la chambre. Ces adorables boucles en opale qui paraissaient si fragiles aux oreilles de sa mère, elle les revoyait aussi précisément que si elle les avait sous les yeux. Mais elle se rappelait aussi les avoir inscrites sur une liste, avec les douze poupées de porcelaine, pour une vente aux enchères. Laine secoua la tête. Sa mère s'était-elle encore approprié d'autres choses qui lui appartenaient à elle ?

Laine regarda par la fenêtre. La vue imprenable sur les îles, qui commençaient à se couvrir de fleurs, ne lui mit aucun baume sur le cœur. Au contraire, ce paysage idyllique semblait la narguer.

Accablée, elle détourna les yeux. Comment Vanessa avait-elle pu prendre ce qui lui appartenait pour satisfaire son propre plaisir ? Elle avait dû utiliser les chèques pour payer son appartement parisien, pour s'acheter des robes luxueuses et organiser de folles soirées. Mais le pire, c'est qu'elle l'avait laissée croire, année après année, que son père l'avait oubliée. C'était elle qui les avait séparés. Laine serra les dents. Elle lui en voulait terriblement. Pas pour l'argent, mais pour ses mensonges et pour l'avoir éloignée de son père.

Ecœurée, elle serra très fort les paupières. Du moins savait-elle maintenant pourquoi Vanessa l'avait emmenée avec elle en France : pour avoir la garantie de recevoir régulièrement des sommes rondelettes. Pendant près de quinze ans, elle avait vécu en volant sa propre fille. Et cela ne lui suffisait même pas. Laine serra très fort ses paupières gonflées de larmes. Dieu, comme son père devait la haïr pour son ingratitude et sa froideur ! Jamais il ne la croirait.

Elle soupira. Ne l'avait-il pas déjà assimilée à sa mère ? Ne lui avait-il pas déjà dit, en la voyant : « Tu ressembles à ta mère » ?

Ouvrant les yeux, elle retourna s'examiner dans le miroir.

Son père avait raison. Elle fit courir le bout de ses doigts sur ses joues. La ressemblance était là, dans l'architecture du visage, dans la nuance de la peau. Elle fronça les sourcils. Cet héritage ne lui apportait aucun plaisir. Cap'taine n'avait qu'à la regarder pour voir la femme qu'il avait aimée. Il n'avait qu'à la regarder pour se souvenir. Il allait penser exactement la même chose que Dillon O'Brian. Comment aurait-elle pu espérer autre chose ? Pendant quelques instants, elle resta immobile, les yeux rivés sur son propre reflet.

Faisant une petite moue, comme chaque fois qu'elle se plongeait profondément dans ses réflexions, elle se murmura à elle-même :

« Peut-être qu'en une ou deux semaines, j'arriverai à retrouver quelque chose de ce qui existait entre nous, une petite part de l'amitié que nous partagions, lui et moi. Je m'en contenterais. Mais pour cela, il ne doit absolument pas croire que je suis venue pour réclamer de l'argent. Je dois faire en sorte qu'il ne sache pas que j'en ai très peu. Et surtout, je dois me méfier de cet O'Brian. »

Elle éprouva un bref accès de colère. Quel homme arrogant ! C'était certainement le plus mal élevé qu'elle ait jamais rencontré. Il était mille fois pire que le pire des amants de Vanessa. Eux, au moins, se débrouillaient pour afficher un semblant de respectabilité. Mais Dillon ! Son père avait dû le ramasser sur la plage et en faire son associé par pitié.

Laine commença à se brosser énergiquement les cheveux.

Ce Dillon O'Brian l'avait regardée avec un regard insolent, comme s'il savait la sensation qu'il aurait en la tenant dans ses bras. Ce n'était qu'un macho.

Posant brutalement la brosse sur la table, elle regarda d'un air furieux la femme qui lui faisait face dans le miroir. « Cet homme est une brute, un sale type arrogant », fulmina-t-elle entre ses dents. Il n'y avait qu'à voir la façon dont il s'était conduit dans l'avion !

Son regard courroucé s'adoucit. Elle passa lentement un doigt sur ses lèvres. Le souvenir de leur turbulente capture venait de l'assaillir. Laine redressa les épaules. « Du calme ! se dit-elle, ce n'est pas la première fois qu'un homme t'embrasse. » Elle secoua la tête pour chasser les sensations qui montaient en elle. « Oui, mais aucun ne t'a embrassée de cette façon, murmura une petite voix dans sa tête. Jamais comme cela ! »

— Oh, allez au diable, Dillon O'Brian ! dit-elle à voix haute.

Elle lutta contre l'envie de faire claquer la porte en sortant de la chambre.

En haut de l'escalier, elle hésita. Des voix masculines résonnaient au rez-de-chaussée. C'était un son nouveau pour elle, habituée à un entourage féminin. Un son plutôt agréable. Il y avait un mélange de voix graves et d'accent un peu laconique, celui de Dillon. Entendant un petit rire, suivi d'un grand éclat de rire, très séduisant, elle fit une grimace. C'était le rire de Dillon. Prenant une profonde inspiration, elle descendit silencieusement l'escalier.

— Ensuite, quand j'ai enlevé le carburateur, il l'a regardé en marmonnant un flot d'imprécations, puis il a secoué la tête. Finalement, c'est moi qui l'ai posé.

— Et en quatrième vitesse !

Le rire de Cap'taine résonna quand elle pénétra dans la pièce.

Ils étaient confortablement installés, Dillon affalé sur le canapé, son père assis sur une chaise. Ils paraissaient parfaitement détendus, et si heureux d'être en compagnie l'un de l'autre qu'elle eut envie de faire demi-tour pour ne pas les déranger. Elle avait l'impression d'être une intruse. Avec un bref pincement d'envie, elle recula d'un pas.

Son mouvement attira l'attention de Dillon. Avant qu'elle puisse retourner dans sa chambre, elle se trouva clouée par son regard, aussi sûrement que s'il l'avait prise dans ses bras.

Dillon l'observa longuement. Elle avait changé ses vêtements sophistiqués contre une robe blanche toute simple, qui soulignait la finesse et l'innocence de ses lignes.

Suivant le regard de Dillon, dont le sourire s'était évanoui, Cap'taine se leva. Son assurance se transforma en maladresse.

— Salut, Laine. Tu es bien installée ?

Laine se força à porter son attention sur son père.

— Oui, merci.

Nerveuse, elle s'humecta les lèvres.

— La chambre est très agréable. Je suis vraiment désolée de vous avoir dérangés.

— Pas du tout. Entre, nous allons bavarder un peu !

Elle hésita encore un instant, avant d'obtempérer.

— Veux-tu boire quelque chose ? demanda son père en marchant vers le bar.

Pendant tout ce temps, Dillon avait gardé le silence.

— Non, merci.

Laine se força à sourire.

— Ta maison est magnifique. Je suis heureuse de voir la mer de ma fenêtre.

Prenant la place qui restait sur le canapé, elle

laissa la plus grande distance possible entre Dillon et elle.

— Ce doit être merveilleux d'avoir la mer si près quand on a envie de se baigner.

— J'aime moins l'eau qu'autrefois, déclara son père.

Il revint s'asseoir.

— J'ai souvent fait de la plongée. Maintenant, c'est lui qui adore ça, dit-il en jetant à Dillon un regard souriant et chargé d'affection.

Sa voix était devenue chaleureuse.

— Je trouve que le ciel et la mer ont beaucoup de points communs, commenta Dillon.

Il tendit la main vers son verre.

— Liberté et défi, continua-t-il en adressant un sourire complice à James. J'ai appris au Cap'taine à explorer les profondeurs. Lui, il m'a appris à fendre les airs.

— Je crois que je suis plutôt terrienne, répliqua Laine en se forçant à le regarder dans les yeux. Je n'ai d'expérience ni en l'air, ni dans la mer.

Dillon fit tourner son verre dans sa paume, mais son regard plein de défi soutenait le sien.

— Vous savez nager ?

— Je me débrouille.

Il but une gorgée.

— Je vous apprendrai à plonger.

Posant son verre, il reprit sa position désinvolte.

— Nous commencerons demain, de bonne heure, dit-il sans lui demander son avis.

Laine ravala une protestation. Mais elle rétorqua d'un ton froid et dissuasif :

— Je ne voudrais pas vous faire perdre de temps, monsieur O'Brian.

Indifférent à sa voix glaciale, Dillon insista :

— Pas de problème. Je n'ai rien de prévu pour demain matin.

Il tourna la tête vers James Simmons.

— Vous avez bien du matériel à lui prêter, Cap ?

— Oui, il y a tout ce qu'il faut dans l'arrière-salle.

James parut soulagé. Laine ferma brièvement les yeux.

— Tu vas bien t'amuser, Laine. Dillon est un excellent professeur. Et il connaît ces fonds comme sa poche.

Laine adressa à Dillon un sourire poli. Peut-être serait-il capable de deviner ses pensées ?

— Croyez bien que j'apprécie vraiment votre offre, monsieur O'Brian.

Il arqua les sourcils. Apparemment, leur communication silencieuse se déroulait dans la plus parfaite compréhension.

— J'en suis sûr, mademoiselle Simmons.

— Le dîner est servi ! vint annoncer abruptement Miri.

Laine sursauta.

Miri pointa vers elle un doigt accusateur qu'elle replia ensuite dans un geste autoritaire.

— Vous ! continua-t-elle d'une voix rieuse. Venez à table ! Et attention ! Je ne veux pas vous voir picorer !

Faisant demi-tour dans une envolée de jupons chatoyants, elle marmonna :

— Elle est bien trop maigre, cette petite.

Laine se leva du canapé en poussant un soupir. Miri était tombée à point pour mettre un terme à cet échange pénible. Laine se dirigea vers la salle à manger. Cependant, elle n'avait pas fait trois pas qu'elle se sentit saisie par le bras. Dillon la fit ralentir et ils se retrouvèrent seuls dans le corridor.

— Je vous félicite pour votre entrée. Digne d'une jeune fille de bonne famille qui n'a rien à se reprocher.

— Je ne doute pas un seul instant de votre désir de m'envoyer à tous les diables, monsieur O'Brian. Mais peut-être me permettrez-vous de savourer mon dernier repas en paix.

— Mademoiselle Simmons…

Lui faisant la révérence avec une fausse galanterie, il augmenta la pression de la main sur son bras.

— Même moi, je peux me surpasser à l'occasion, pour accompagner une dame à un dîner.

— En vous concentrant très fort, il vous serait certainement possible de ne pas me casser le bras ?

Elle serra les dents tandis qu'ils pénétraient dans la salle à manger aux parois de verre. Dillon lui tira sa chaise. Elle lui jeta un coup d'œil glacial.

— Merci, monsieur O'Brian, murmura-t-elle en se glissant sur son siège.

Ses yeux flamboyaient de colère. Dillon O'Brian était vraiment insupportable !

Inclinant poliment la tête, Dillon contourna la table et se laissa tomber sur une chaise.

— Dis donc, Cap'taine, le petit bimoteur dans lequel j'ai amené Mlle Simmons m'a l'air d'avoir besoin d'une sérieuse révision. J'aimerais l'inspecter avant le prochain vol.

— Mmm… à ton avis, quel est le problème ?

Ils entamèrent une discussion technique. Pendant ce temps, Miri arriva avec un grand plat de poisson, qu'elle déposa devant Laine. Avant de s'éloigner, elle lui fit signe de se servir.

Tandis que James et Dillon continuaient leur conversation, Laine fit honneur au plat de Miri. Gardant un silence quasi absolu, elle mangea en observant discrètement les deux hommes. Apparemment, l'attitude indifférente de son père n'était pas délibérée. Elle était plutôt due à des années de solitude, et au fait qu'il avait davantage l'habitude de côtoyer des hommes que des femmes. Oui, indubitablement, il était à l'aise en leur compagnie. En présence des femmes, il devait se sentir intimidé. En revanche, la grossièreté de Dillon à son égard était intentionnelle, cela crevait les yeux. Cependant, c'était son père qui la faisait souffrir.

Profitant d'une petite pause dans leur conversation, elle se leva.

— Vous ne m'en voudrez pas si je vous fausse compagnie ?

Une expression embarrassée traversa aussitôt les yeux de James Simmons, et elle regretta aussitôt ses paroles.

— Je suis un peu fatiguée, dit-elle pour se justifier.

Elle lui sourit.

— Ne te dérange pas, je connais le chemin.

Alors qu'elle sortait, elle eut l'impression que l'atmosphère de la pièce s'allégeait considérablement.

Une fois dans sa chambre, Laine essaya de se détendre. Elle étouffait. Cette maison était trop calme. La lune trônait au firmament, et les rideaux se soulevaient légèrement sous les tendres assauts d'une brise parfumée. Mais cette solitude entre quatre murs était insupportable.

Elle descendit l'escalier à pas de loup et sortit dans la nuit. Elle se mit à marcher au hasard. Les oiseaux nocturnes s'interpellaient, perçant le silence de leur étrange musique. Le murmure des vagues semblait inviter à les rejoindre. N'y tenant plus, elle se débarrassa de ses chaussures et traversa la fine couche de sable blanc pour s'approcher de la plage.

L'eau formait un grand arc en arrivant sur la grève, caressant le sable avant de retourner dans le sein de l'immensité bleue. Sa surface scintillait du reflet des étoiles. Laine prit une profonde inspiration, savourant ses senteurs qui se mêlaient à l'air embaumé.

Soudain, elle secoua la tête. Ce paradis n'était pas pour elle. Son père et Dillon l'en avaient bannie. C'était toujours la même histoire. Combien de fois ne s'était-elle pas sentie exclue lors de ses visites à sa mère, dans son appartement parisien ? Et voilà qu'à des milliers de kilomètres, elle n'était encore qu'une intruse.

Aurait-elle la force de jouer pendant une semaine cette mascarade en offrant des sourires forcés à un père qui ne voulait plus entendre parler d'elle ? Sa place n'était pas plus avec lui qu'elle ne l'avait été auprès de Vanessa. Se laissant tomber sur le sable, elle ramena ses genoux sous son menton et se mit à sangloter pour toutes ces années perdues.

— Je n'ai pas de mouchoir. Il faudra vous débrouiller sans !

Laine tressaillit. Elle serra plus fort ses genoux entre ses bras.

— Allez-vous-en, je vous en prie !

— Quel est le problème, Duchesse ? interrogea Dillon d'une voix sèche, impatiente.

Il n'avait pas voulu se montrer brutal mais il ne supportait pas de voir une femme pleurer.

— On dirait que rien ne va comme vous l'aviez prévu, continua-t-il. Mais ce n'est pas en pleurant sur la plage que les choses vont s'arranger. Surtout s'il n'y a personne pour vous consoler.

— Allez-vous-en ! répéta-t-elle sans relever la tête. Je veux que vous me laissiez tranquille. Je veux être seule !

— Au fond, pourquoi pas, il vaut mieux commencer à vous y habituer, rétorqua-t-il sans ménagement. J'ai bien l'intention de vous avoir à l'œil jusqu'à ce que vous retourniez en Europe. Cap'taine est trop doux pour résister trop longtemps aux larmes, même si ce sont des larmes de crocodile.

Laine ne fit qu'un bond et se jeta sur lui. Il chancela un bref instant sous l'impact de ce petit missile inattendu.

— C'est mon père, est-ce que vous comprenez ?

Mon *père* ! J'ai le droit d'être avec lui ! J'ai le droit de le connaître !

Prise de fureur, elle se mit à lui frapper le torse à grands coups de poing. Ebahi par cette soudaine attaque, Dillon finit par réagir. La prenant par les bras, il l'attira contre lui.

— Eh bien ! Il y a du feu sous cette apparence de glace ! s'exclama-t-il d'un ton plein de dérision. Vous pouvez toujours essayer de convaincre votre père en lui racontant que ses lettres ne sont jamais arrivées.

— Je ne veux pas de sa pitié, vous m'entendez ?

Elle essaya de le repousser de toutes ses forces et se débattit pendant qu'il la maintenait en fournissant un minimum d'efforts.

— J'aimerais mieux qu'il me haïsse plutôt que de se désintéresser de moi. Mais je préférerais encore son indifférence à sa pitié !

— Tenez-vous tranquille, bon sang ! ordonna Dillon.

Cette scène commençait à lui faire perdre patience.

— Je n'ai pas envie de me tenir tranquille ! Arrêtez de me traiter comme une gamine qui a fait une bêtise. Je vais passer deux semaines ici, et je ne laisserai personne me les gâcher.

Elle rejeta la tête en arrière. Les larmes ruisselaient sur ses joues, mais maintenant, son regard n'était plus triste. Il lançait des éclairs.

— Laissez-moi ! Je ne veux pas que vous me touchiez !

Elle se remit à tambouriner sur ses pectoraux avec une énergie renouvelée, tout en lui donnant des coups de pied. Elle faillit les faire tomber tous les deux dans le sable.

— Vous ne croyez pas que ça suffit ?

D'un geste vif, il l'attira contre lui et la réduisit au silence en la bâillonnant d'une main.

Il commença à la faire tourner, l'entraînant dans un véritable tourbillon et bientôt, toute notion du temps et de l'existence se fondit dans ce mouvement. Elle sentit le goût de ses larmes mêlé à une senteur piquante, vitale, qui venait de lui. Une vague de chaleur se répandit sur sa peau. Elle lutta contre ces sensations nouvelles aussi désespérément que contre les bras qui l'emprisonnaient. Quelques instants plus tard, la bouche de Dillon prit la sienne. D'un seul coup, sa résistance s'évanouit et elle fondit dans ses bras. Ses lèvres s'adoucirent. Elle était vaincue. Quand Dillon s'écarta d'elle, elle posa la tête contre sa poitrine. Elle tremblait. Il passa une main légère sur ses cheveux, tandis qu'elle se blottissait contre lui. Brusquement réchauffée, elle ferma les yeux et laissa un torrent d'émotions l'envahir.

— Qui êtes-vous, Laine Simmons ? demanda Dillon d'une voix plus douce.

La maintenant à bout de bras, il posa une main ferme sous son menton et lui releva la tête, qu'elle s'obstinait à baisser.

— Regardez-moi !

Les paupières plissées, il la dévisagea.

Laine avait les yeux élargis et brillants. Des larmes tremblaient encore au bout de ses cils. Elles avaient eu raison de l'attitude farouche qu'elle affichait quelques instants plus tôt, pour ne laisser paraître que sa vulnérabilité.

Dillon finit par conclure avec un juron impatient :

— La glace, le feu, et maintenant les larmes... Non ! s'écria-t-il comme elle voulait baisser de nouveau la tête. Ne me poussez pas à bout !

Il poussa un profond soupir.

— Vous n'allez apporter que des complications, ici. J'aurais dû m'en rendre compte tout de suite. Mais puisque vous êtes là, il faudra bien trouver un terrain d'entente.

— Monsieur O'Brian...

— Bon sang, vous ne pouvez pas m'appeler Dillon, comme tout le monde ? Inutile de vous rendre plus ridicule que nécessaire.

— Dillon..., répéta-t-elle à contrecœur.

Elle renifla, furieuse contre elle-même. Comment pouvait-elle capituler ainsi devant un étranger, grossier de surcroît ?

—... je ne crois pas être assez cohérente ce

soir pour discuter efficacement. Laissez-moi partir. Nous pourrons toujours établir un contrat demain.

— Inutile. Les conditions seront simples car c'est moi qui vais les poser.

— Voilà qui me paraît excessivement raisonnable.

Elle redressa la tête. Dieu merci, elle retrouvait son ironie. C'était mieux que ces larmes stupides.

Dillon ne fit pas de commentaire.

— Pendant votre séjour, continua-t-il, nous allons être amenés à nous trouver souvent côte à côte. Je vous servirai d'ange gardien jusqu'à ce que vous repartiez en Europe. Si vous faites un faux pas avec Cap'taine, je vous tomberai dessus avec une telle rapidité que vous n'aurez même pas le temps de cligner vos yeux de petite fille.

— Mon père est-il tellement sans défense qu'il ait besoin de quelqu'un pour le protéger de sa propre fille ?

Elle essuya d'une main furibonde les larmes qui recommençaient à couler.

— Aucun homme vivant ne peut se passer d'une protection contre vous, Duchesse.

Inclinant la tête, il étudia son visage mouillé.

— Si vous êtes une comédienne, tant mieux pour le théâtre. Vous êtes excellente. Si vous êtes sincère, j'aurai toujours la possibilité de vous présenter des excuses le moment venu.

— J'espère qu'elles vous étoufferont !

Dillon éclata de rire. Ce rire, elle l'avait déjà entendu tout à l'heure, en descendant dans le salon. Il produisit sur elle le même effet perturbant. Excédée par sa propre réaction autant que par l'attitude odieuse de Dillon, elle leva la main pour le gifler.

— Quelle idée ! dit-il en lui attrapant le poignet. Ne gaspillez pas vos forces.

Faisant une pause, il l'examina encore d'un œil à la fois admiratif et narquois.

— Savez-vous que vous êtes fabuleuse quand vous crachez des flammes ? Je vous préfère mille fois ainsi que dans le rôle de la froide demoiselle débarquée de Paris. Ecoutez-moi, Laine…

Elle tressaillit légèrement. Dillon avait prononcé son nom d'une façon extrêmement troublante.

— Si nous observions une trêve ? Du moins en public, continua-t-il. Dans le privé, nous pourrons toujours entamer un autre round, avec ou sans gants de boxe.

— Cela vous conviendrait, naturellement. Vous auriez tout de suite l'avantage, avec votre taille et votre poids.

Dillon relâcha légèrement son étreinte. Elle se débattit et parvint à libérer son bras.

— Oui…

Il sourit et haussa les épaules.

— J'ai appris à vivre avec. Venez !

Il lui prit la main dans un geste amical qui la déconcerta.

— Au lit ! continua-t-il. Vous devrez vous lever tôt demain matin. J'ai horreur de gâcher une belle matinée.

— Je n'ai aucune intention de vous accompagner, demain, affirma-t-elle en dégageant sa main.

Elle enfonça ses talons dans le sable.

— Vous aurez probablement l'idée de me noyer et de cacher mon corps.

Dillon soupira, faussement horripilé.

— Laine, si je dois vous tirer du lit demain matin, ce n'est pas uniquement la plongée que vous allez apprendre. Maintenant, êtes-vous prête à rentrer à la maison, ou faut-il que je vous porte sur mon dos ?

— Votre arrogance n'a d'égale que votre muflerie, Dillon O'Brian !

Sur ces mots, elle lui tourna le dos et se mit à courir. Dillon la regarda jusqu'au moment où l'obscurité engloutit sa silhouette blanche. Puis il se baissa lentement pour ramasser ses chaussures.

Chapitre 4

Comme d'habitude, Laine se réveilla de bonne heure. Un soleil éblouissant entrait par les persiennes entrouvertes. Clignant des paupières, elle observa la chambre. Les murs avaient une teinte vert clair, et aucun rideau n'habillait les fenêtres. Chez elle, elle avait un bureau tout simple, mais ici trônait une belle table en acajou sur laquelle était posé un vase rempli de roses rouges. Un silence absolu régnait. Pas le moindre rire, pas de bruits de pas ou de voix devant la maison. Ce calme troublant n'était interrompu que par les trilles intermittent d'un oiseau, qu'elle ne voyait pas.

Avec un soupir, elle se laissa retomber contre son oreiller. Si au moins elle pouvait se rendormir ! Mais l'habitude de se lever tôt était trop enracinée en elle. Chassant les souvenirs qui affluaient à sa mémoire, elle bâilla et s'étira. Puis elle alla prendre une douche rapide et s'habiller.

Une amie lui avait prêté un maillot de bain plus approprié que celui qu'elle portait à la piscine. Elle se glissa dans le minuscule Bikini. Le bleu argenté lui allait très bien, il soulignait ses courbes subtiles, mais il n'y avait décidément pas assez de tissu. Laine haussa les épaules. Au fond, ce n'était pas si grave.

— Quelle idiote ! marmonna-t-elle en ajustant ses bretelles de soutien-gorge. Toutes les femmes portent ce genre de maillot, et après tout, je n'ai pas de quoi attirer l'attention.

Trop maigre, avait décrété Miri. Faisant une petite grimace, elle ajusta une dernière fois le soutien-gorge. Puis elle enfila un jean blanc et un T-shirt rouge à l'encolure ovale. Elle n'avait pas besoin de décolleté pour affronter Dillon O'Brian.

Alors qu'elle descendait l'escalier, la maison commença à se réveiller doucement. Dans la salle à manger, le soleil entrait à flots. Laine alla se planter devant la fenêtre et contempla les jeunes fougères et les pavots multicolores aux pétales luisants. La scène était charmante. Elle poussa un soupir imperceptible. Après tout, pourquoi n'essaierait-elle pas de jouir au maximum de cette belle journée ? Il ne tenait qu'à elle que rien ne vienne la gâcher. Elle aurait bien le temps, plus tard, quand elle aurait retrouvé ses habitudes, de se pencher sur les rejets et autres humiliations qu'elle avait subis. Aujourd'hui, le soleil éclatant était plein de promesses.

— Vous êtes prête pour le petit déjeuner ! s'exclama joyeusement Miri en entrant dans la pièce.

Laine se tourna vers elle en souriant. Malgré son embonpoint, Miri arrivait à se déplacer avec une grâce et une discrétion peu courantes.

— Bonjour, Miri. Quel temps superbe !

— Il va vous donner quelques couleurs, ce ne sera pas du luxe.

Miri s'approcha d'elle et passa un doigt sur son bras.

— Du rouge, déjà, si vous ne prenez pas de précautions. En attendant, venez vous asseoir, et je vais faire venir un peu de chair sur ces bras maigrichons.

Elle tapota d'un geste impérieux le dossier d'une chaise. Laine obtempéra en riant.

— Miri, cela fait longtemps que vous travaillez chez mon père ?

— Dix ans.

Secouant la tête, elle versa du café brûlant dans une tasse.

— Ah, je le lui ai dit souvent. Ce n'est pas bon pour un homme de rester aussi longtemps sans femme.

Tournant la tête vers elle, elle continua :

— Votre mère était aussi maigre que vous ?

— Euh… je ne dirais pas… c'est-à-dire…

Elle fit une pause. A partir de combien de

kilos Miri considérait-elle qu'une femme était présentable ?

Miri éclata d'un rire chaleureux qui fit trembler les fleurs roses et orange de son boubou.

— Vous n'osez pas dire qu'elle était moins enrobée que moi ! dit-elle.

Elle regarda ses hanches bien arrondies. Et brusquement, de façon inattendue, elle déclara en prenant une boucle des cheveux de Laine :

— Vous êtes une très jolie fille. Et bien trop jeune pour être triste.

Laine resta sans voix. Elle n'était pas habituée aux démonstrations d'affection. La regardant de ses grands yeux noirs pleins de chaleur, Miri soupira.

— Je vais chercher votre petit déjeuner, et vous me ferez le plaisir de ne pas en laisser une seule miette.

— Apportez-en deux, Miri ! cria Dillon en entrant.

Il était vêtu d'un jean bien coupé et d'une chemise blanche qui mettait son magnifique bronzage en valeur.

— Bonjour, Duchesse. Vous avez bien dormi ?

Dillon s'installa en face d'elle et se servit une tasse de café. Il avait les gestes déliés, le regard vif. Rien dans son comportement ne trahissait la léthargie que ressentent la plupart des gens quand ils se lèvent tôt. Laine poussa un soupir silencieux. Apparemment, Dillon O'Brian faisait partie de cette espèce rare d'humains qui passaient instantanément de l'état de sommeil à l'éveil le plus alerte. Cependant, d'autres remarques s'imposaient à son esprit, beaucoup moins intéressantes. Non seulement Dillon était l'homme le plus séduisant qu'elle ait jamais connu, mais également le plus fascinant. Luttant contre un désir aussi soudain que malvenu, elle essaya de se concentrer sur son aspect décontracté.

— Bonjour, Dillon, répondit-elle de sa voix la plus neutre. J'ai l'impression que cette journée va être radieuse.

— Ce n'est pas exceptionnel de ce côté de l'île.

— De ce côté ?

Dillon se passa une main dans les cheveux, d'un geste qui ajouta encore une petite note à son charme.

— Mmm... de l'autre côté, il pleut presque tous les jours, expliqua-t-il.

Rivant ses yeux verts sur elle, il avala plusieurs gorgées de café. Laine contempla ses mains aux longs doigts dorés. Elles paraissaient fortes et efficaces et contrastaient avec la douce couleur crème de la faïence. Soudain, elle se rappela la sensation qu'elle avait éprouvée quand elles s'étaient posées sur son visage.

— Quelque chose ne va pas ? s'enquit Dillon.

— Pardon ?

Clignant des paupières, elle détourna les yeux.

— Non, j'étais en train de réfléchir... je veux faire le tour de l'île pendant mon séjour, improvisa-t-elle en parlant à toute vitesse. Est-ce que votre... votre maison est près d'ici ?

— Pas très loin.

Dillon leva de nouveau sa tasse, et continua de la regarder par-dessus le bord. Laine plongea les yeux dans son café avec une concentration excessive. Elle s'était bien juré de ne pas le boire, elle avait gardé un trop mauvais souvenir du café américain bu dans l'avion.

— Voici le petit déjeuner ! annonça Miri en se glissant dans la pièce avec un plateau débordant de victuailles. Bon appétit !

Les sourcils froncés, elle remplit une assiette qu'elle tendit à Laine.

— Quand vous aurez fini, je ne veux plus vous voir dans ma cuisine. J'ai le ménage à faire.

Elle dirigea sa cuillère vers Dillon, qui remplissait sa propre assiette avec une délectation évidente.

— Et vous ! ajouta-t-elle, si vous revenez encore ici avec vos chaussures pleines de sable, vous allez m'entendre !

Il lui répondit d'une brève phrase en dialecte local, accompagnée d'un sourire en coin. Miri quitta la salle à manger, laissant son rire perlé ricocher derrière elle.

— Dillon, commença Laine en fixant d'un regard ébahi la montagne de nourriture posée devant elle. Je ne pourrai jamais manger tout cela !

Haussant les épaules, Dillon enfourna une bouchée d'œufs brouillés.

— Essayez toujours. Miri a décidé de vous faire grossir.

Il avala sa bouchée et ajouta d'un air sérieux, en se beurrant une tartine :

— Même si vous pensez ne pas en avoir besoin — ce qui n'est pas le cas — il ne faut pas la contrarier, sinon elle se fâche tout rouge. Imaginez que c'est de la bouillabaisse ou des escargots, conseilla-t-il en riant.

Laine se raidit instinctivement, sur la défensive.

— Je ne me plains pas de la qualité de la nourriture, mais de sa quantité ! rétorqua-t-elle.

Dillon haussa encore les épaules. Agacée, elle attaqua son petit déjeuner. Quelques instants plus tard, elle jeta un regard découragé sur son assiette. Où allait-elle trouver la place de loger une autre bouchée d'œufs ? Brusquement, Dillon se leva et contourna la table pour lui tirer sa chaise.

— J'ai l'impression que vous allez vous sentir

mal si vous avalez une bouchée de plus. Je vous emmène avant que Miri ne revienne.

Laine serra les dents. Peut-être cela l'aiderait-il à garder une attitude humble.

— Merci.

Alors que Dillon l'entraînait vers la porte d'entrée, James Simmons descendit l'escalier. Tous les trois firent une pause. James les regarda longuement.

— Bonjour. C'est une belle journée pour ta première leçon de plongée, Laine.

— Oui, je suis impatiente de commencer.

Elle sourit, faisant un violent effort pour paraître enjouée.

— Tu ne seras pas déçue. Tu vas voir, Dillon est comme un poisson dans l'eau, dit James.

Son sourire se fit plus chaleureux quand il tourna les yeux vers son associé.

— En rentrant, cet après-midi, jette un coup d'œil au nouveau biplan, dit-il. Je crois que les modifications que tu as conseillées sont au point.

— D'accord. Je vais travailler sur cet avion. Laisse Tinker à l'écart.

Cap'taine se mit à rire à cette plaisanterie qu'eux seuls pouvaient comprendre. Posant de nouveau les yeux sur sa fille, il lui adressa un vague sourire et un petit salut de politesse.

— A ce soir. Amuse-toi bien.

— Merci.

Elle le regarda s'éloigner et, un court instant, les larmes lui montèrent aux yeux. Elle se retourna vers Dillon qui l'observait d'un air sombre.

— Venez, dit-il avec une soudaine vigueur en lui prenant la main.

Dans le hall, il s'empara d'un sac de toile aux couleurs passées, qu'il jeta sur son épaule.

— Où est votre maillot ? s'enquit-il.

— Je l'ai sur moi.

Dillon partit à grandes enjambées sans se soucier d'elle. Laine fit de son mieux pour le suivre.

Il emprunta un sentier plein d'ornières, bordé de fleurs et de fougères. Laine était émerveillée. Y avait-il un autre endroit dans le monde où les couleurs étaient si vives, où le vert offrait un tel éventail de nuances ? L'héliotrope ajoutait une note vanillée à l'odeur des embruns. Avec un cri aigu, une alouette zébra le ciel et disparut.

Ils marchèrent en silence sous le soleil qu'aucun nuage ne venait rafraîchir.

Dix minutes plus tard, Laine déclara, essoufflée :

— J'espère que ce n'est plus très loin. Je n'ai pas couru le décathlon depuis des années.

Dillon tourna la tête. Elle se prépara à entendre une réplique cinglante. Mais contre toute attente, il ralentit. Laine lui accorda un léger sourire de satisfaction. C'était même une petite victoire d'avoir réussi à lui parler sans qu'il la remette à sa place. Cependant, quelques instants plus tard, elle oublia tout devant le spectacle que la baie leur offrait. C'était éblouissant. Bordée de palmiers et d'hibiscus aux pétales satinés, elle étalait sa beauté exotique, étincelante comme un diamant. C'était époustouflant. Il avait dû tomber quelques gouttes de pluie, ce matin, car elle brillait et scintillait comme sous une multitude de gouttelettes.

Poussant un petit cri d'admiration, Laine s'engagea entre les palmiers. Tout l'enchantait. Le soleil, le sable, ce paysage de rêve.

Elle fit rapidement deux fois le tour de la plage, comme pour s'assurer qu'aucune merveille ne lui échappait.

— C'est splendide. Et parfait ! Absolument parfait !

Le rire de Dillon éclata comme une brise fraîche, chassant les nuages. Un court instant, la complicité remplaça la tension qui était entre eux, rebondissant de l'un à l'autre avec une aisance aussi inattendue qu'apaisante. Mais Dillon ne tarda pas à se rembrunir. Il s'accroupit pour fouiller dans son sac, d'où il sortit les tubas et les masques. Sans préambule, il se mit à lui parler de la plongée.

— C'est facile, une fois que vous avez appris

à respirer. L'important, c'est de se détendre, et d'être toujours très vigilant.

En termes simples, il lui expliqua la technique de respiration, tout en ajustant son masque.

— Ce n'est pas la peine de prendre un ton si professoral, finit-elle par dire, irritée par ses airs de supériorité et son air renfrogné. Je vous assure que j'ai un cerveau qui fonctionne. Inutile de me répéter dix fois la même chose.

— On ne sait jamais ! commenta-t-il en lui adressant un sourire en coin.

Laine le fusilla des yeux.

Il lui tendit le masque et le tuba.

— Faisons un essai !

Il ôta sa chemise et la laissa tomber sur son sac. Puis il mit son masque. Laine resta pétrifiée.

Des poils bruns ombraient le torse athlétique de Dillon. Son jean délavé tombait sur ses hanches minces. Abasourdie, Laine se força à détourner les yeux. Une sensation qu'elle n'avait jamais éprouvée lui titilla le ventre et lui réchauffa les veines. Elle baissa les yeux sur le sable, qu'elle regarda attentivement, comme si elle y cherchait quelque chose.

— Déshabillez-vous !

Elle sentit ses yeux s'élargir et fit vivement un pas en arrière.

— A moins que vous n'ayez l'intention de nager tout habillée, ajouta Dillon.

Ses lèvres se retroussèrent légèrement, puis il lui tourna le dos et marcha vers la mer.

Ne sachant plus où se mettre, elle fit de son mieux pour paraître aussi décontractée que lui. Timidement, elle se débarrassa de son T-shirt, puis de son jean. Elle les plia, les posa sur sa serviette et suivit Dillon vers la baie. Les jambes dans l'eau, il la regarda approcher.

Il la parcourut des yeux sans manquer un centimètre carré de peau. Puis il leva les yeux vers son visage.

— Ne vous éloignez pas, recommanda-t-il quand elle fut près de lui. Nous allons nager un moment à la surface jusqu'à ce que vous ayez pigé.

Il lui glissa son masque sur le visage et l'ajusta.

Ils commencèrent à se déplacer tranquillement le long des trous d'eau, où les rayons du soleil atteignaient le fond sablonneux. Oubliant les instructions qu'il lui avait données, Laine aspira plus d'eau que d'air et sortit rapidement la tête de l'eau. Elle se mit à cracher et à tousser.

— Qu'est-ce qui vous arrive ? Faites un peu attention !

Lui donnant une bonne claque dans le dos, il lui remit son masque en place.

— Prête ?

Après trois profondes inspirations, Laine retrouva sa voix.

— Oui, fin prête !

Progressivement, elle se mit à plonger plus profondément, sans s'éloigner de Dillon. Il nageait avec une aisance et une confiance en lui innées. Bientôt, elle sut traduire les signaux aquatiques qu'il lui faisait avec la main, et elle commença à improviser les siens. De curieux poissons aux yeux ronds, sans paupières, filaient sous eux, se livrant à un véritable ballet aquatique.

Les rayons du soleil donnaient à l'eau une apparence féerique, caressant les algues, faisant luire les coquillages et les rochers lisses. Bien que le fond de la mer soit grouillant, c'était un monde silencieux. Les doigts rose pâle des coraux se rassemblaient pour offrir une cachette à de petits poissons bleu électrique. Fascinée, Laine regarda un bernard-l'hermite se glisser hors de son abri d'emprunt et s'éloigner à toutes pattes. Deux étoiles de mer orangées s'accrochèrent à un rocher, et un oursin se nicha dans une solitude épineuse.

Laine était ravie. C'était une découverte extraordinaire. Et comme il était agréable de nager près de cet homme étrange et taciturne. Elle était heureuse de partager avec lui le plaisir que lui causait cette nouvelle expérience. Le changement dans leurs relations s'était passé en douceur, elle ne s'en était même pas rendu compte au moment où il s'était produit. Depuis qu'ils étaient dans l'eau, ils n'étaient plus qu'un homme et une femme baignant dans un univers silencieux. Impulsivement, elle souleva un gros coquillage conique, dont l'habitant avait dû être expulsé depuis longtemps. Elle le tendit vers Dillon pour le lui montrer, puis elle remonta vers la surface étincelante.

Une fois la tête hors de l'eau, elle repoussa son masque et s'ébroua. Debout, de l'eau jusqu'au ventre, elle s'exclama :

— C'est merveilleux. Je n'ai jamais rien vu d'aussi beau !

Elle coinça quelques mèches de cheveux derrière ses oreilles.

— Toutes ces couleurs, ces nuances de bleus et de verts qui se fondent. J'avais l'impression que plus rien d'autre n'existait !

Sans rien dire, Dillon ôta son masque et l'observa, un sourire ambigu aux lèvres. Laine était très belle. L'excitation rosissait ses joues, et ses yeux semblaient avoir emprunté leur teinte indigo à la mer. Ses cheveux blonds entouraient son visage comme un casque. Sans la douceur de ses boucles, ses traits semblaient encore plus fins et plus fragiles.

— Je n'avais jamais rien fait de semblable. Il me semble que je pourrais passer ma vie sous l'eau. Il y a tant de choses à voir, à toucher.

Regardez ce que j'ai trouvé. C'est magnifique ! dit-elle.

Elle lui tendit le coquillage qu'elle tenait à deux mains, et passa un doigt sur ses lignes couleur d'ambre. Comme Dillon ne bougeait pas, elle interrogea :

— Qu'y a-t-il ?

Sans répondre, il prit le coquillage, le retourna et l'examina avant de le lui rendre.

— C'est une volute musicale. Il y en a des quantités sur ces côtes.

— Est-ce que je peux le garder ? Cet endroit appartient-il à quelqu'un ?

Dillon se mit à rire. L'enthousiasme de Laine faisait plaisir à voir.

— C'est une baie privée, mais je connais le propriétaire. Je pense que ça lui sera égal.

— Il paraît qu'on entend la mer dans ces coquillages. C'est vrai ?

Elle le porta à son oreille. Et aussitôt, ses yeux s'élargirent.

— Oh ! C'est incroyable ! s'écria-t-elle.

De surprise, elle avait parlé en français.

Accompagnant ses paroles de gestes de sa main libre, elle riva ses yeux dans ceux de Dillon.

— On entend le bruit des vagues ! C'est incroyable. Dillon, écoutez ! continua-t-elle, toujours en français.

Elle lui tendit le coquillage. Elle voulait

partager cette découverte. Mais Dillon éclata de rire, ce rire qu'elle avait entendu la veille, quand il parlait avec son père.

— Désolé, Duchesse, mais j'ai quelques phrases de retard !

— Oh, je suis désolée. L'enthousiasme m'a fait automatiquement retrouver le français.

Passant la main sur ses cheveux mouillés, elle sourit.

— C'est vrai, on entend la mer !

Elle ne quittait pas Dillon des yeux. Et brusquement, sa voix faiblit. La lueur d'amusement qu'elle avait lue dans son regard s'était envolée. Maintenant, elle était remplacée par une émotion qui lui fit bondir le cœur. Sa raison lui conseilla aussitôt de battre en retraite ; mais son corps et sa volonté fondirent quand les bras de Dillon se glissèrent autour de sa taille. Chassant toute pensée, elle releva la tête, lui offrant délibérément ses lèvres.

Dillon caressa sa peau nue. Il n'y avait rien d'autre entre eux que des gouttelettes d'eau. Sous le soleil brûlant, son cœur s'ouvrait, et ses lèvres répondaient aux lèvres exigeantes de l'homme qui lui faisait tourner la tête. Son corps vibrait sous ses mains. S'ils avaient pu ne faire qu'un seul être, au moins jusqu'au coucher du soleil, songea-t-elle, éperdue.

Dillon desserra lentement son étreinte, comme

à regret. Elle poussa un soupir mêlé de plaisir et de déception. Pourquoi la privait-il déjà de ce trésor qu'il venait de lui offrir ?

Dillon la regarda droit dans les yeux.

— Soit vous êtes une actrice hors pair, soit vous sortez du couvent, marmonna-t-il.

Laine sentit ses joues s'empourprer. Elle lui tourna le dos pour s'éloigner, mais il la retint par un bras.

— Attendez un peu !

La faisant pivoter vers lui, il la dévisagea. Laine était devenue écarlate. Il fronça les sourcils.

— Voilà un hommage dont je n'avais pas été gratifié depuis des années, Duchesse. Vous me stupéfiez !

Il eut un sourire moqueur, mais qui n'avait rien à voir avec les airs narquois qui semblaient lui être habituels quand il lui parlait.

— Quoi qu'il en soit, que vous soyez innocente ou calculatrice, vous m'étonnez vraiment !

Il la prit dans ses bras.

Cette fois, il lui donna un baiser tendre. Cependant, elle avait encore moins de défense contre la tendresse que contre la passion, et son corps répondait dangereusement à celui de Dillon. Elle se sentit prise de vertige. Soudain, Dillon mit fin à leur baiser. Il examina longuement ses yeux embrumés, ses lèvres gonflées. Jouait-elle l'innocence ou était-elle sincère ? Il n'aurait su le dire mais, innocemment ou non, elle se conduisait comme une véritable tentatrice.

— Vous êtes une femme étonnante, dit-il dans un souffle. Allons nous asseoir un moment au soleil.

Sans attendre son accord, il la prit par la main et l'entraîna vers la plage. Après avoir étendu une grande serviette sur le sable, il s'assit. Voyant Laine hésiter, il la tira vers lui.

— N'ayez pas peur, je ne mords pas, je me contente de grignoter ! dit-il avec un sourire charmeur.

Il prit une cigarette dans son sac et l'alluma, puis il s'appuya sur un coude. Sa peau luisait d'eau et de soleil.

Mal à l'aise, Laine resta assise, très droite, le coquillage dans les mains. Elle voulait comprendre pourquoi elle avait réagi ainsi dans les bras de Dillon. Ce qui venait de se passer entre eux était important pour elle, et resterait important jusqu'à la fin de ses jours, elle le savait. C'était un cadeau auquel elle ne pouvait pas encore donner de nom. Les yeux rivés sur le coquillage, elle sentit une joie immense lui soulever la poitrine. Elle était aussi heureuse qu'au moment où le coquillage avait chanté à son oreille.

— Vous traitez ce coquillage comme si c'était votre premier nouveau-né, railla Dillon.

Elle tourna la tête vers lui. Il lui fit un sourire étincelant. Oui, c'était bien vrai, elle n'avait jamais été si heureuse.

— C'est mon premier souvenir. Et c'est la première fois que je plonge pour rapporter des trésors engloutis, dit-elle.

— Pensez un peu à tous les requins que vous avez dû repousser pour mettre la main sur lui ! plaisanta-t-il.

Il souffla la fumée de sa cigarette vers le ciel tandis qu'elle plissait le nez.

— Vous êtes jaloux parce que vous n'en avez pas trouvé. Je suis égoïste de ne pas vous en avoir rapporté un.

— Ne vous inquiétez pas, je survivrai.

— On ne trouve pas de coquillage à Paris, continua-t-elle, soudain très à l'aise. Les enfants vont être ravis.

— Les enfants ?

Laine couvait son trophée des yeux, le caressant du bout des doigts.

— Mes élèves. La plupart n'ont jamais vu une chose pareille, excepté dans les livres.

— Vous êtes enseignante ?

Trop absorbée par la contemplation des sinuosités du coquillage, elle ne remarqua pas son ton ébahi. L'esprit ailleurs, elle répondit :

— Oui. J'enseigne l'anglais aux pensionnaires françaises, et le français aux Anglaises. J'ai commencé à travailler là où j'ai obtenu mes diplômes. Je ne voyais pas d'autre endroit où aller, et je me sentais chez moi.

Faisant une pause, elle tourna la tête vers lui.

— Dillon, croyez-vous que je pourrais revenir ici pour essayer de trouver un ou deux autres coquillages ? Les filles seraient fascinées, elles ont si peu de distractions.

— Où était votre mère ?

— Pardon ?

Elle arqua les sourcils. Il plongea un regard pénétrant dans le sien.

— Qu'avez-vous dit ? demanda-t-elle.

Pourquoi avait-il si brusquement changé d'humeur ?

— J'ai dit : où était votre mère ?

La colère était presque palpable dans la voix de Dillon. Que lui arrivait-il ?

— Quand... quand j'étais à l'école ? Elle était à Paris.

Affolée, elle essaya de changer de sujet.

— J'aimerais revoir l'aéroport. Croyez-vous...

— Arrêtez ! cria-t-il.

Laine sursauta. Puis, suivant son vieil instinct, elle se réfugia dans son armure invisible.

— Vous n'avez pas besoin de crier ! Je vous entends très bien à cette distance.

— Ne recommencez pas à prendre vos grands airs, Duchesse. Je veux des réponses.

Il jeta sa cigarette. Son visage reflétait une détermination mêlée de rage.

— Je suis désolée, Dillon, mais…

Elle se leva et fit quelques pas.

—… je ne suis vraiment pas d'humeur à subir un interrogatoire.

Marmonnant un juron, Dillon bondit sur ses pieds et lui prit le bras avec une rapidité qui la laissa abasourdie.

— Vous êtes un drôle de numéro, dit-il d'une voix sifflante. Vous changez si souvent. Je n'arrive pas à comprendre cette petite mascarade. Qui êtes-vous, à la fin ?

— J'en ai assez de vous dire qui je suis, répondit-elle calmement. Que voulez-vous que je vous raconte ? Je ne sais pas ce que vous aimeriez que je sois.

Sa réponse et sa voix douce exacerbèrent sa fureur. Resserrant sa main sur son bras, il la secoua.

— Vous passez votre temps à faire du cinéma. Qu'est-ce que ça signifie ?

Avant de pouvoir répondre, elle se retrouva attirée contre lui dans un nouvel accès de colère. Cependant, elle n'eut pas le temps de connaître la nature de sa punition. Quelqu'un appela Dillon. Serrant les dents, il la lâcha et se tourna vers la personne qui arrivait entre deux rangées de palmiers.

Laine suivit son regard et resta bouche bée devant l'apparition mythique qui semblait glisser sur le sable fin. La peau de la jeune femme avait la couleur mordorée du miel. Elle portait un sarong pourpre et bleu nuit. Une avalanche de cheveux noir d'ébène cascadaient jusqu'à sa taille, et dansaient au rythme de ses mouvements gracieux. Ses yeux en amande, couleur d'ambre, étaient frangés de velours noir. Un sourire pulpeux illuminait un visage exotique et parfait. Elle leva la main pour accueillir Dillon, qui répondit :

— Bonjour, Orchidée !

Laine avala la boule qui venait de se former dans sa gorge. Non, ce n'était pas une déesse, mais une femme en chair et en os, comme le prouvait le baiser qu'elle posa sur les lèvres de Dillon.

— Miri m'a dit que tu étais parti faire de la plongée. Je savais que je te trouverais là.

Sa voix flotta comme une musique légère.

Voyant l'attitude figée de Laine, Dillon fit les présentations avec sa désinvolture coutumière.

— Je te présente Laine Simmons. Orchidée King.

Laine marmonna quelques paroles inintelligibles. Elle se sentait brusquement aussi déplacée qu'un cheveu dans le potage.

— Laine est la fille de Cap'taine, expliqua-t-il.

— Oh, je vois.

Laine dut subir un examen plus approfondi. Visiblement, Orchidée se posait des questions, malgré le sourire composé qu'elle affichait.

— C'est bien que vous soyez enfin venue. Allez-vous rester longtemps ?

— Une ou deux semaines.

Laine retrouva son aplomb. Ses yeux rencontrèrent brièvement ceux de Dillon, puis elle se tourna vers la jeune fille.

— Est-ce que vous vivez sur l'île ?

— Oui, répondit Orchidée. Mais je passe le plus clair de mon temps ailleurs. Je suis hôtesse de l'air. J'ai quelques jours de congé. J'avais envie d'échanger le ciel contre la mer. J'espère que vous aviez prévu de retourner dans l'eau ?

Adressant un sourire éblouissant à Dillon, elle passa une main sous son bras.

— J'apprécierais beaucoup un peu de compagnie.

Laine observa Dillon. Son charme filtrait naturellement. Il n'avait rien d'autre à faire que sourire, et la magie opérait.

— Pas de problème. J'ai deux heures devant moi.

— Je vais rentrer à la maison, dit vivement Laine.

Elle se sentait de nouveau une intruse.

— Je préfère ne pas rester trop longtemps au soleil, le premier jour, dit-elle pour se justifier.

Elle prit son T-shirt et l'enfila promptement.

— Merci pour la leçon, Dillon.

Elle se baissa pour ramasser son jean et ses chaussures avant de dire :

— Ravie de vous avoir rencontrée, mademoiselle King.

— J'espère que nous nous reverrons !

Otant son sarong, Orchidée révéla un Bikini très sexy, et un corps époustouflant.

— L'île est petite, n'est-ce pas, cousin ?

C'était la façon dont les habitants s'adressaient les uns aux autres, Laine le savait. Cependant, la manière dont Orchidée prononça le mot « cousin » évoquait une relation beaucoup plus intime. Dillon se mit à rire.

— En effet.

Visiblement, il la connaissait bien. Il était tellement à l'aise avec elle ! Sans doute était-il également coutumier de ses charmes. Laine murmura un vague « au revoir » et se dirigea vers la palmeraie. Elle entendit le rire d'Orchidée, puis sa voix. La jeune fille parlait dans la langue musicale de l'île. Laine jeta un coup d'œil par-dessus son épaule avant que les feuilles se referment sur elle. Et juste à temps pour voir des bras dorés enlacer le cou de Dillon.

Chapitre 5

Elle retourna à la maison à pas lents. C'était un excellent moyen de réfléchir aux diverses émotions provoquées par l'associé de son père depuis son arrivée. Pour commencer, elle avait ressenti de l'agacement, de la rancœur mêlée à de la colère, auxquels s'ajoutait maintenant une inquiétude causée par son manque d'expérience avec les hommes. Cependant, ce matin, il y avait eu quelques instants harmonieux avec Dillon. Elle s'était même sentie très bien en sa compagnie. C'était une nouveauté. Jusqu'à présent, elle n'avait jamais été vraiment à l'aise lorsqu'elle se trouvait en tête à tête avec un représentant du sexe masculin.

Elle poussa un profond soupir. Tout cela était si troublant. Mais peut-être était-ce simplement l'excitation causée par cette petite aventure aquatique qui était responsable de sa réaction par rapport à lui, quand il l'avait embrassée ? Cela avait paru si naturel. Leurs bouches semblaient être créées l'une pour l'autre. Elle s'était subitement sentie libre dans ses bras, totalement en éveil. Comme si les murs de verre qui l'emprisonnaient avaient explosé, la laissant pour la première fois aux prises avec une foule de sensations.

Faisant une pause, Laine cueillit un hibiscus rose foncé. Elle l'examina un instant en souriant. Puis, reprenant sa marche, elle fit tourner la tige entre ses doigts. Ses sentiments ténus avaient commencé à se dissiper devant la colère inexplicable de Dillon. L'apparition de la jeune beauté à la peau sombre avait fait le reste.

Orchidée King, se répéta-t-elle, songeuse. Puis un autre prénom lui revint à la mémoire : *Rose*. Celui de l'hôtesse qui flirtait avec Dillon, au bureau d'accueil. Apparemment, il aimait les femmes portant des noms de fleurs. Laine fronça les sourcils, puis elle secoua la tête. Après tout, que lui importait ? Inconsciemment, elle se mit à effeuiller l'hibiscus. Visiblement, il était aussi vital pour Dillon de recevoir et de donner des baisers que pour une souris de grignoter du fromage. Elle-même, il avait dû l'embrasser parce qu'il n'avait pas d'autre femme sous la main. Haussant les épaules, elle jeta un pétale. A l'évidence, Orchidée King avait beaucoup plus de trésors à lui offrir qu'elle-même n'en aurait jamais.

Continuant d'arracher les pétales de la fleur

sans s'en rendre compte, elle soupira. Face à la jeune insulaire, elle s'était sentie aussi attirante qu'une volaille pâle et informe face à un superbe flamant rose aux couleurs vibrantes. Même si Dillon ne la détestait pas déjà, elle n'avait aucune chance de lui plaire.

Elle haussa encore les épaules. Après tout, elle n'avait aucune envie de plaire à cet homme insupportable. C'était même la dernière chose qu'elle souhaitait ! Elle regarda sans le voir l'hibiscus mutilé. Puis, avec un petit gémissement, elle le jeta et accéléra le pas.

Une fois arrivée chez son père, elle monta déposer le coquillage dans sa chambre. Elle prit une douche et se changea, puis redescendit au rez-de-chaussée. Elle se sentait sans énergie et complètement désemparée. En France, elle n'avait pas le temps de se pencher sur ses états d'âme. Avec l'enchaînement des cours, des repas et des activités secondaires, elle avait un emploi du temps toujours très chronométré. Ici, personne ne lui demandait de faire quoi que ce soit, ce qui était très pénible. Dire que la plupart du temps, elle rêvait d'une heure de liberté pour s'offrir un moment de lecture ou, tout simplement, de solitude ! Maintenant, la journée entière s'étirait devant elle, et elle n'avait qu'une envie : trouver une occupation. Elle soupira. Le problème quand on ne faisait rien, c'est qu'on avait trop de temps pour réfléchir.

Décidée à ne pas gâcher son séjour, Laine redressa les épaules. Au fond, il ne tenait qu'à elle de repousser les pensées qui la dérangeaient. En particulier, sa situation, et son avenir.

Pour commencer, elle allait visiter la maison. Il était inutile de faire perdre du temps à quelqu'un pour cela. Elle pouvait le faire seule. Elle découvrit bientôt que son père vivait simplement, mais confortablement. Il avait beaucoup de livres, et une incroyable quantité de magazines d'aéronautique. A en juger par la façon dont ils étaient écornés, ils devaient faire partie de ses lectures favorites.

Dans chaque pièce, les rideaux traditionnels étaient remplacés par des persiennes en bambou, et les tapis par des nattes.

Son père semblait se contenter d'une existence sans surprises, remplie d'habitudes, et organisée autour de son principal centre d'intérêt : l'aviation. Laine hocha pensivement la tête. Maintenant, elle commençait à comprendre pourquoi le mariage de ses parents avait tourné court. Le mode de vie de son père était proportionnellement aussi modeste que celui de sa mère était prétentieux. Aucun des deux n'aurait pu se satisfaire de ce que l'autre avait à lui offrir. Laine fronça les sourcils. Elle-même ne se voyait vivre ni à la mode maternelle ni à la mode paternelle.

Elle prit dans sa main une photographie au cadre noir posée sur le bureau. Un portrait de son père, quand il était jeune. Il souriait, un bras passé autour des épaules de Dillon. Celui-ci était encore adolescent, mais il avait déjà le même sourire, à la fois malicieux et effronté. Laine observa attentivement le cliché. L'affection qui rapprochait les deux hommes ne lui aurait pas paru plus réelle s'ils avaient été en chair et en os sous ses yeux. Leur regard et leur attitude révélaient une grande complicité et une compréhension mutuelle. Laine eut un coup au cœur. En fait, ils ne s'entendraient certainement pas mieux s'ils étaient père et fils. Elle secoua tristement la tête. Elle ne connaîtrait jamais cela avec son père.

— Ce n'est pas juste, murmura-t-elle en prenant le cadre à deux mains.

Elle eut un léger frisson et ferma les yeux. Au fond, à qui faisait-elle des reproches ? A son père, parce qu'il avait eu besoin de quelqu'un ? A Dillon, qui avait été là pour lui ? Ce n'était pas cette attitude qui allait l'aider, et la recherche du passé était inutile. Il était temps qu'elle tourne les yeux vers l'avenir, vers une nouvelle vie.

Poussant un profond soupir, elle remit le cadre à sa place et sortit dans le hall. Elle se retrouva bientôt dans la cuisine, entourée d'appareils ménagers d'une propreté impeccable et d'ustensiles de cuivre accrochés aux murs. Miri se trouvait devant la cuisinière. L'entendant entrer, elle se retourna et lui adressa un sourire satisfait.

— Vous êtes rentrée pour le déjeuner, j'aime mieux cela !

Elle inclina la tête et plissa les yeux.

— Vous avez déjà des couleurs.

Laine baissa les yeux sur ses bras nus. Ils avaient pris un léger hâle.

— C'est vrai ! Mais en fait, je ne suis pas rentrée pour déjeuner.

Elle sourit et fit un large geste du bras.

— Je visitais la maison.

— C'est parfait, mais cela ne vous empêche pas de manger. Asseyez-vous ici ! décréta Miri.

Elle désigna un siège du bout de son couteau.

— Et demain, je ne veux pas que vous fassiez votre lit. C'est mon travail.

Elle posa un verre de lait devant elle.

— Est-ce que vous faisiez votre lit vous-même dans cette école pour riches ?

— Ce n'est pas vraiment une école pour riches, corrigea Laine.

Elle leva les yeux sur Miri, qui préparait un gigantesque sandwich.

— En réalité, c'est un pensionnat religieux qui se trouve près de Paris.

— Vous viviez dans un pensionnat ?

Miri fit une pause. Elle paraissait sceptique.

— Oui. Sauf quand j'allais voir ma mère. Miri…

Elle lui jeta un regard affolé. Miri venait de placer le sandwich devant elle sur une assiette.

— Je ne pourrai jamais avaler tout ça !

— Mangez, Petit Osselet. Et cette matinée avec Dillon, elle s'est bien passée ?

— Très bien.

Mal à l'aise, Laine se concentra sur son sandwich tandis que Miri venait s'asseoir en face d'elle.

— Je n'aurais jamais cru qu'il y ait tant de choses à voir sous l'eau. Dillon est un excellent guide, dit-elle.

— Ah, celui-là…

Miri secoua la tête.

— Quand il n'est pas sous l'eau, il est dans le ciel. Il devrait avoir plus souvent les pieds sur la terre.

Se renversant contre son dossier, Miri la regarda manger.

— Il ne vous quitte pas des yeux, dit-elle après quelques secondes de silence.

Laine faillit avaler une bouchée de travers.

— J'en ai bien peur, marmonna-t-elle.

Elle but une gorgée d'eau avant de continuer en haussant la voix :

— J'ai fait la connaissance de Mlle King. Elle est venue dans la baie.

— Orchidée King…

Miri grommela quelques paroles inintelligibles en hawaïen.

Laine arqua les sourcils.

— Elle est très jolie, pleine de vie et… frappante. Je suppose que Dillon la connaît depuis longtemps ?

Elle avait parlé du ton le plus neutre possible, mais ce petit commentaire la surprenait. Il était sorti de sa bouche avant même qu'elle y ait pensé.

— Depuis assez longtemps, oui. Mais ses appâts n'ont pas encore pris le poisson dans son filet.

Elle eut un sourire complice.

— Comment trouvez-vous Dillon ?

— Comment je le trouve ? répéta Laine en fronçant les sourcils malgré elle. Eh bien, il est très séduisant. Du moins, je suppose… je n'ai pas rencontré énormément d'hommes jusqu'à présent.

— Vous devriez lui sourire plus souvent, conseilla Miri avec un hochement de tête. Une femme intelligente se sert de ses sourires pour faire comprendre son état d'esprit à un homme.

— Il ne m'a pas donné beaucoup de raisons de lui sourire, répliqua Laine entre deux bouchées.

Quoi qu'il en soit, les femmes doivent se bousculer autour de lui.

— Il y en a beaucoup auxquelles il s'intéresse. C'est un homme très généreux, dit Miri en gloussant.

Laine rougit.

— Il n'a pas encore rencontré une femme qui pourrait le rendre égoïste, continua Miri. Maintenant, vous...

Elle se tapota une aile du nez en réfléchissant.

— Vous seriez bien avec lui. Il pourrait vous apprendre des choses, et vous lui en apprendriez d'autres.

— Moi, apprendre des choses à Dillon ?

Secouant la tête, Laine eut un petit rire.

— Que voulez-vous que je lui enseigne, Miri ? Et puis, je connais Dillon depuis hier. Tout ce qu'il a fait jusqu'à maintenant, c'est me troubler l'esprit. D'une minute à l'autre, je ne sais jamais s'il va être agréable ou s'il va me faire tourner en bourrique.

Elle soupira.

— Je trouve les hommes très bizarres. Je ne les comprends pas du tout.

— Les comprendre ?

Le rire de Miri explosa dans la cuisine.

— Quel besoin avez-vous de les comprendre ? Il vous suffit de les apprécier. J'ai eu trois maris, et je n'en ai compris aucun des trois. Cela ne m'a pas empêchée d'être bien.

Elle eut soudain un sourire de jeune fille.

— Vous êtes très jeune. Rien que cela, c'est attirant pour un homme habitué aux femmes averties, continua-t-elle.

— Je ne sais pas… je veux dire, bien sûr, je ne voudrais pas qu'il le fasse, mais…

Laine se mit à bégayer lamentablement. Ses pensées étaient trop confuses.

— Je suis sûre que Dillon ne s'intéresse pas à moi. Apparemment, il s'entend très bien avec Mlle King. De plus…

Sentant la déprime s'abattre sur elle, elle haussa les épaules.

—… il ne me fait pas confiance, termina-t-elle.

— Vous voulez que je vous dise ? C'est stupide de laisser le passé interférer avec le présent.

Miri se renversa contre son dossier.

— Vous voulez l'amour de votre père, Petit Osselet ? Le temps et la patience vous le donneront. Vous voulez Dillon ?

Voyant que Laine allait protester, elle leva une main impérieuse.

— Si vous le voulez, vous apprendrez à vous servir des armes d'une femme.

Elle se leva, faisant trembler sa généreuse poitrine.

— Bien, maintenant, je vous chasse. J'ai du travail.

Obéissante, Laine se leva et gagna la porte.

— Miri…, dit-elle en se retournant.

Elle se mordilla la lèvre.

— Vous êtes très proche de mon père depuis longtemps. Est-ce que…

Elle hésita, puis elle se dépêcha d'ajouter :

— Est-ce que vous m'en voulez de réapparaître comme cela après toutes ces années ?

— Vous en vouloir ?

Songeuse, Miri se passa lentement la langue sur les lèvres.

— Je n'en veux jamais à personne, parce que la rancœur, c'est une perte de temps. Mais surtout, je ne pourrais pas en vouloir à un enfant.

Elle prit une grande cuillère et s'en tapota la paume.

— Quand vous êtes partie, vous étiez petite, et c'est votre mère qui vous a emmenée. Maintenant, vous n'êtes plus une enfant, et vous êtes là. De quoi pourrais-je bien vous en vouloir ?

Miri haussa les épaules en secouant légèrement la tête, puis elle se tourna vers la cuisinière.

Laine sentit les larmes lui monter aux yeux. Elle prit une profonde inspiration.

— Merci, Miri, murmura-t-elle.

De retour dans sa chambre, elle s'assit au bord du lit. Les pensées tourbillonnaient dans sa tête. Les baisers de Dillon avaient éveillé en elle des sensations inconnues, et les paroles de Miri avaient ouvert une porte sur des pensées endormies. « Du temps et de la patience », se répéta-t-elle silencieusement. Miri lui avait prescrit du temps et de la patience pour qu'elle voie clair dans son cœur troublé. Laine soupira. Elle avait si peu de temps, et encore moins de patience. Comment pourrait-elle retrouver l'amour de son père en quelques jours ? Elle secoua la tête. C'était une question sans réponse. Et Dillon ? murmura son cœur tandis qu'elle se jetait sur le lit et rivait ses yeux au plafond. Pourquoi fallait-il qu'il complique une situation qui était déjà assez difficile ?

« Pourquoi m'a-t-il embrassée ? se demanda-t-elle. Pourquoi a-t-il révélé en moi des sensations de femme avant de me repousser en me faisant des reproches ? »

Il pouvait être si doux quand elle était dans ses bras, si tendre. Et l'instant d'après…

Frustrée, elle roula sur le ventre et posa sa joue sur l'oreiller.

Pourquoi était-il devenu soudain si froid, avec ce regard dur ? Si au moins elle avait pu cesser de penser à lui, de se rappeler ce qu'elle avait éprouvé quand il l'avait embrassée. Le problème, c'est qu'elle n'avait aucune expérience, alors que lui était loin d'en manquer. Elle se retourna encore sur le lit. Ce qu'elle ressentait ne devait être qu'un attrait physique, un éveil de ses sens. Il était impossible que ce soit autre chose…

Le coup frappé à la porte la fit sursauter. Se redressant sur le lit, elle repoussa ses cheveux en arrière et se leva pour aller ouvrir. Dillon avait troqué son bermuda contre un jean. Il paraissait en pleine forme, alors qu'elle devait avoir une mine épouvantable, avec ses paupières gonflées. Elle le regarda sans rien dire, incapable de mettre de l'ordre dans ses pensées. Les sourcils froncés, il la dévisagea. Elle avait les joues rouges et les yeux embrumés de sommeil.

— Je vous réveille ?

— Non, je…

Elle jeta un coup d'œil à la pendule. C'était incroyable, mais une heure entière s'était écoulée depuis qu'elle s'était allongée sur le lit.

— En fait, oui… Je suppose que je ne suis pas encore remise du décalage horaire.

Elle se passa une main dans les cheveux, luttant pour retrouver son aplomb.

— Je ne me suis même pas rendu compte que j'avais dormi.

— Ils sont bien réels ?

— De quoi parlez-vous ? demanda-t-elle en clignant des paupières.

— Vos cils.

Le cœur battant à coups redoublés, Laine se força à soutenir son regard pénétrant.

Avec sa désinvolture coutumière, Dillon s'appuya au chambranle de la porte et poursuivit son examen.

— Je vais à l'aéroport. J'ai pensé que vous auriez envie d'y aller. Vous m'avez dit que vous vouliez le revoir.

— C'est vrai.

Sa courtoisie était surprenante.

— Alors, c'est par ici..., dit-il en faisant un geste pour qu'elle le suive.

— J'arrive. Laissez-moi une minute pour me préparer.

— Vous avez l'air tout à fait prête.

— Je dois me recoiffer.

— Inutile. Vos cheveux sont très bien comme ils sont.

Il la prit par la main et l'entraîna avant qu'elle puisse protester.

Devant la maison, Dillon lui fourra un casque dans les mains. Voyant la moto qui semblait les attendre, Laine hésita.

— Nous y allons... là-dessus ?

— Oui. Je prends rarement la voiture quand je dois aller à l'aéroport.

— Je ne suis jamais montée sur un engin comme celui-ci, dit Laine, mais je suppose qu'il n'est jamais trop tard pour commencer.

— Duchesse, la seule chose que vous avez à faire, c'est vous asseoir et vous accrocher fermement.

Dillon lui prit le casque des mains et le lui fixa sur la tête.

Puis il mit le sien, enfourcha le véhicule et démarra.

— Allez hop, montez !

Avant même d'avoir eu le temps de dire ouf, Laine se retrouva à cheval sur la selle, crispée contre Dillon, les bras lui enlaçant la taille. Très vite, elle se détendit. Après tout, il ne roulait pas très vite, et la moto semblait tenir parfaitement la route.

Ils empruntèrent une petite voie qui longeait une rivière. Laine sourit. C'était très excitant de rouler ainsi à l'air libre, de sentir les muscles durs de Dillon sous ses mains. Une impression de liberté l'envahit. En vingt-quatre heures, Dillon lui avait déjà fait vivre des expériences qu'elle n'aurait peut-être jamais connues. Brusquement, plus rien ne comptait que cette randonnée. Peu importait ce qui allait suivre. Elle aurait bien le temps de réfléchir plus tard.

En arrivant devant l'aéroport, Dillon zigzagua dans la circulation. Il s'arrêta devant un hangar.

— Terminus, Duchesse ! Il faut descendre.

Elle obéit et tenta d'ôter son casque.

— Attendez !

Dillon le lui enleva et le rangea sur la moto avec le sien.

— Entière ?

— Absolument. Je me suis régalée ! dit-elle.

— C'est un moyen de transport qui a ses avantages.

Il lui caressa les bras, avant de la prendre par la taille. Laine retint son souffle quand il se pencha sur elle et lui effleura les lèvres de sa bouche. Des frissons de plaisir coururent sur sa peau.

— Nous continuerons cela plus tard, dit-il en reculant. J'ai l'intention de terminer ce que j'ai commencé avec vous. Mais pour l'instant, j'ai du travail.

Ses doigts tracèrent lentement des cercles sur ses hanches.

— Cap'taine va vous faire faire la visite. Il vous attend. Pourrez-vous retrouver le chemin ?

— Je crois que oui.

Affolée par les battements précipités de son cœur, elle s'écarta de lui. Mais cela ne changea rien.

— Il m'attend dans son bureau ?

— Oui, là où vous êtes allée la première fois. Il vous montrera tout ce que vous voudrez. Attention à ce que vous dites, Laine !

Son regard perdit soudain sa chaleur, et sa voix devint plus grave.

— Tant que je ne suis pas sûr de vous, vous ne pourrez pas vous permettre la moindre erreur.

Laine eut un frisson, et son pouls affolé ralentit. Pendant un court instant, elle se contenta de le regarder fixement.

— J'ai bien peur d'en avoir déjà fait une, dit-elle d'une voix triste.

Elle tourna les talons et s'éloigna.

Chapitre 6

Laine se dirigea vers le petit bâtiment blanc dont l'entrée était flanquée de palmiers. Les événements des vingt-quatre heures qu'elle avait passées sur l'île se bousculaient dans sa tête. Elle avait revu son père après quinze ans de séparation, et appris la trahison de sa mère. Sans parler de Dillon. C'était vertigineux. Et maintenant, il fallait qu'elle essaie de savoir ce qu'elle souhaitait vraiment. La donne avait changé.

Pendant le court laps de temps qu'il faut au soleil pour se lever et se coucher, elle avait aussi découvert des plaisirs et des exigences de femme. Dillon lui avait offert des sensations nouvelles, magiques. Le cœur battant, elle essaya encore une fois de se raisonner. Ce qu'elle éprouvait n'était que le résultat d'une attraction physique, rien de plus. Cela ne pouvait pas être autre chose. On ne tombait pas amoureuse du jour au lendemain, et surtout pas d'un individu comme Dillon O'Brian. Il était dur, mal élevé. Elle et lui étaient vraiment aux antipodes l'un de l'autre. Dillon était extraverti, parfaitement bien dans sa peau. Laine soupira. Elle l'enviait. Mais elle avait tort de s'inquiéter. C'était la nouveauté de la situation qui lui jouait des tours, et cet éternel soleil, auquel elle n'était pas habituée. Voilà pourquoi elle ne savait plus où elle en était. Sa réaction était purement physique. Elle n'avait aucune raison d'être amoureuse.

Avec un soupir de soulagement, elle poussa la porte de l'immeuble.

Alors qu'elle entrait, son père sortit de son bureau. Il jeta un coup d'œil par-dessus son épaule à une jeune fille métisse armée d'un bloc-notes.

— Vérifiez la commande de fuel avec Dillon avant d'envoyer cette lettre. Il va aller en réunion dans une heure. Si vous ne le trouvez pas dans son bureau, essayez au hangar numéro quatre.

Laine s'immobilisa. Quand il la vit, il sourit et accéléra le pas.

— Bonjour, Laine. Dillon m'a dit que tu voulais visiter les lieux.

— Oui, j'aimerais beaucoup ça, si tu as le temps.

— Bien sûr.

Il se tourna vers la jeune fille qui l'accompagnait.

— Sharon, je vous présente ma fille. Laine,

voici ma secrétaire, Sharon Kumocko, dit-il avec un enjouement forcé.

Laine lui serra la main. Elle sentit son père hésiter un bref instant, puis, visiblement un peu mal à l'aise, il la prit par le bras et la fit sortir dans la chaleur et la lumière. Elle poussa un soupir résigné. L'affection qui les liait quand elle était petite n'existait-elle que dans ses souvenirs ?

— Ce n'est pas un grand aéroport, dit-il. Nous transportons principalement des produits de consommation pour les touristes des îles. Nous avons aussi une école de pilotes. Ce qui est surtout l'œuvre de Dillon.

— Papa…

Impulsivement, elle lui coupa la parole et tourna la tête vers lui.

— Je sais que je t'ai mis dans une situation embarrassante. Je me rends compte maintenant que j'aurais dû t'écrire et te demander si je pouvais venir, plutôt que de tomber du ciel comme je l'ai fait. J'ai manqué de jugeote.

— Laine…

— Je t'en prie, écoute-moi…

Elle secoua la tête et reprit :

— Je me rends compte aussi que tu as ta vie, ta maison, tes amis. Tu as eu quinze ans pour te créer des habitudes. Je ne veux pas perturber ton emploi du temps. Crois-moi, je n'ai aucune envie de bouleverser ta vie, je ne veux pas que tu te sentes obligé de…

Elle eut un geste d'impuissance.

— J'aimerais simplement que nous soyons amis.

James ne l'avait pas quittée des yeux pendant qu'elle parlait. Le sourire qu'il lui adressa quand elle eut fini lui apporta plus de chaleur que les précédents.

— Tu sais…

Il soupira et se peigna les cheveux du bout des doigts.

— C'est un peu terrifiant de se retrouver face à une fille adulte. Toutes les étapes, tous les changements m'ont échappé. Je crois que je continuais à te voir comme une gamine au caractère emporté, coiffée d'une queue-de-cheval, avec des genoux éternellement écorchés. La jeune femme élégante qui est entrée dans mon bureau hier et qui m'a parlé avec l'accent français est une étrangère pour moi. De plus…

Il lui tripota un instant les cheveux.

— C'est une femme qui me rappelle des souvenirs que je croyais à jamais enfouis.

Faisant une pause, il enfonça les mains dans ses poches.

— Je connais mal les femmes, je crois que je ne les ai jamais bien connues. Ta mère était la femme la plus belle, la plus troublante que j'aie jamais rencontrée. Quand tu étais petite, et que nous vivions encore tous les trois ensemble, j'avais avec toi la complicité qui n'a jamais existé entre ta mère et moi. Tu étais la seule personne de sexe féminin que je comprenais. Je me suis toujours demandé si ce n'était pas une des raisons pour lesquelles les choses n'avaient pas marché dans mon couple.

Inclinant la tête, Laine l'observa longuement.

— Papa, pourquoi l'as-tu épousée ? Apparemment, vous n'aviez aucun point commun.

Il secoua la tête avec un rire bref.

— Tu ne te rappelles pas comment elle était lorsque tu étais petite. Elle a beaucoup changé avec le temps, Laine. Il y a des gens qui changent plus que d'autres.

Il hocha doucement la tête, les yeux perdus dans le vague.

— Je l'aimais. Je l'ai toujours aimée.

— Je suis désolée.

Les larmes commençaient à lui piquer les yeux. Elle baissa les yeux.

— Je ne veux pas te rendre les choses plus difficiles.

— Ne t'inquiète pas, ce n'est pas le cas. Nous avons eu quelques belles années.

Il resta un instant silencieux, les yeux perdus dans le vague.

— J’aime me les rappeler de temps à autre, reprit-il.

Lui prenant le bras, il se remit à marcher.

— Ta mère a-t-elle été heureuse, Laine ?

— Heureuse ?

Elle réfléchit. Vanessa était d’humeur changeante, et même quand elle paraissait joyeuse, le mécontentement n’était jamais loin sous la surface.

— Je suppose qu’elle l’était autant qu’elle en était capable. Vanessa adorait Paris, elle avait choisi sa vie.

— Vanessa…

James fronça les sourcils.

— Est-ce sous ce nom que tu penses à elle ?

— Je l’ai toujours appelée par son prénom.

Levant la main, elle se protégea les yeux du soleil pour regarder un charter atterrir.

— Elle disait que le mot « maman » la vieillissait. Elle détestait l’idée de vieillir… Je me sens mieux, maintenant que je te vois heureux, menant la vie que tu as choisie. Est-ce que tu pilotes encore des avions, papa ? Je me rappelle que tu adorais ça.

— Oui, j’effectue encore quelques heures de vol par semaine. Et toi, Laine…

Il la prit par les deux bras et la fit pivoter vers lui.

— Juste une question, ensuite, nous n'en parlerons plus. Es-tu heureuse ?

Cette question directe et le regard scrutateur de son père firent détourner les yeux à Laine. Elle regarda sans les voir les passagers qui descendaient du charter.

— J'ai beaucoup travaillé. Les bonnes sœurs ne plaisantent pas en matière d'éducation.

Il fronça ses sourcils broussailleux.

— Tu ne réponds pas à ma question.

— Je suis contente, dit-elle en souriant. J'ai appris beaucoup de choses, et ma vie me convient. Je crois que c'est suffisant.

— Pour quelqu'un de mon âge, oui, mais pas pour une jeune femme adorable comme toi.

Le sourire de Laine fit place à la perplexité.

— Non, ce n'est pas suffisant, Laine. Et je suis étonné que tu t'en contentes.

Il parlait d'une voix grave, teintée de désapprobation. Elle se sentit aussitôt sur la défensive.

— Papa, je n'ai pas eu la chance de…

Elle fit une pause. Mieux valait faire attention à ce qu'elle disait.

— Je n'ai pas pris beaucoup de temps pour m'amuser, corrigea-t-elle.

Elle leva les mains, les paumes tournées vers le ciel.

— Peut-être le moment est-il venu pour moi de commencer à y songer.

James eut un sourire.

— Bon, laissons tomber le sujet pour l'instant.

Laissant de côté les souvenirs, James l'emmena voir un hangar. Les avions étaient bien alignés. Il donna à chacun une petite tape amicale, comme s'il s'agissait d'un animal de compagnie. Puis il lui expliqua les particularités de chaque appareil, en vibrant de fierté, mais dans un langage incompréhensible pour une néophyte comme elle. Cependant, elle ne l'interrompit plus, heureuse de le voir évoluer dans son élément, comme un poisson dans l'eau. De temps à autre, elle risquait un commentaire qui le faisait rire. Son rire était si précieux.

Les bâtiments s'étalaient, bien entretenus mais sans prétention : hangars et entrepôts, bureaux de recherches et de comptabilité. Une tour de contrôle entourée de verre dominait le tout.

— Tu m'as dit qu'il n'était pas grand, dit-elle. Moi, je le trouve gigantesque.

— C'est plutôt un aérodrome, mais nous faisons de notre mieux pour qu'il fonctionne aussi bien que l'aéroport international d'Honolulu.

Bientôt, elle ne put s'empêcher de poser une question. Mais ce n'était que pure curiosité, elle en était convaincue.

— Et Dillon, que fait-il dans tout cela ?

— Oh, il s'occupe un peu de tout, répondit James d'un air vague.

C'était frustrant.

— Il a un don pour tout organiser. Il est capable de résoudre un problème avant même que je ne sache qu'il existe, et il sait si bien s'y prendre avec les gens qu'ils ne se rendent jamais compte qu'ils ont été manipulés. Il sait aussi démonter et remonter un avion.

Souriant, James secoua légèrement la tête.

— Je me demande ce que j'aurais fait sans lui. Sans son dynamisme, je me serais peut-être contenté de piloter un avion qui pulvérise les cultures.

— Son dynamisme ? répéta Laine. Oui, je suppose qu'il n'en manque pas quand il a décidé d'obtenir quelque chose. Mais n'est-il pas plutôt…

Elle chercha le mot juste.

— Plutôt désinvolte ?

— La vie sur l'île est propice à une certaine désinvolture, Laine, et Dillon est né ici.

Il l'emmena vers un autre bâtiment.

— Un homme bien dans sa peau, et sans prétention, ne manque pas forcément d'intelligence et de capacités. En tout cas, pas Dillon. Mais simplement, il réalise ses ambitions à sa manière.

Plus tard, alors qu'ils retournaient vers les hangars surmontés d'un dôme d'acier, Laine se détendit. Elle venait d'installer un nouveau mode de relation avec son père. Lui aussi était plus tranquille, ses sourires et ses discours étaient plus spontanés. Cependant, si elle avait mis de côté son bouclier, elle n'en était devenue que plus vulnérable.

En entrant dans le hangar, James consulta sa montre.

— J'ai un rendez-vous dans quelques minutes, annonça-t-il. Je vais te laisser avec Dillon maintenant, sauf si tu veux que je te fasse raccompagner à la maison ?

— Pas du tout. Je vais peut-être me balader toute seule. Je ne veux pas vous déranger.

— Tu ne m'as pas dérangé. Je suis content de t'avoir fait faire cette visite. Tu as gardé ta curiosité d'enfant. Je ne l'avais pas oubliée. Tu voulais toujours connaître le pourquoi et le comment des choses, et tu écoutais attentivement les réponses. Je crois que tu avais trois ans quand tu m'as demandé de t'expliquer comment fonctionnait le tableau de bord d'un Boeing 707 !

Il eut un petit rire, le même que celui qu'elle aimait tant, quand elle était petite.

— Tu prenais un air très sérieux, continua-t-il en souriant. J'aurais juré que tu comprenais tout ce que je te disais.

Il lui tapota la main, puis il sourit en regardant par-dessus sa tête.

— Dillon, je savais bien que nous te trouverions ici. Prends soin de Laine. J'ai un rendez-vous.

Laine se retourna. S'appuyant nonchalamment contre un avion, Dillon s'essuyait les mains sur sa salopette.

— Tout s'est bien passé avec les représentants du syndicat ? s'enquit James.

— Comme sur des roulettes. Tu pourras lire le rapport demain.

— Alors à ce soir.

James tourna les yeux vers Laine et, après une brève hésitation, lui caressa brièvement la joue avant de s'éloigner à grands pas.

En souriant, elle fit demi-tour et rencontra le regard sombre de Dillon. Avec un vague haussement d'épaules, celui-ci se tourna vers l'avion.

— La visite vous a plu ? interrogea-t-il d'un air faussement indifférent.

— Oui, beaucoup. J'ai bien peur de ne pas avoir compris le dixième de ce qu'il m'a expliqué, mais j'ai trouvé cela passionnant. Et c'était bon de le voir si enthousiaste.

— Quand il parle d'avions, c'est là qu'il est le plus heureux, commenta Dillon, l'air absent. Il se fiche pas mal que vous compreniez, tant que vous l'écoutez. Passez-moi une clé dynamométrique.

Laine regarda d'un air affolé l'assortiment

d'outils, cherchant quelque chose qui ressemblerait le plus à une clé.

— Est-ce que c'est celle qu'il vous faut ?

Dillon tourna la tête et jeta un coup d'œil sur l'outil qu'elle lui tendait. Amusé malgré lui, il la regarda dans les yeux en secouant la tête.

— Non, Duchesse.

Il trouva lui-même l'outil adéquat.

— Voilà.

— Je n'ai pas dû passer assez de temps sous une voiture ou sous un avion, marmonna-t-elle.

Brusquement, elle se sentit horripilée. Il était peu probable que Dillon ait jamais demandé à Orchidée King de lui donner une clé dynamo... quelque chose.

— Mon père m'a dit que vous aviez créé une école de pilotes. Est-ce que c'est vous qui vous chargez des cours ?

— En partie.

Rassemblant son courage, elle demanda précipitamment :

— Vous m'apprendrez ?

— Pardon ?

Dillon jeta un coup d'œil par-dessus son épaule.

— Pourriez-vous m'apprendre à piloter un avion ?

Elle se mordit la lèvre inférieure. Bon sang, qu'est-ce qui lui arrivait ? Sa question paraissait-elle aussi ridicule à Dillon qu'elle l'était pour elle ?

— Peut-être, répondit-il sans cacher sa stupéfaction.

Il la regarda un instant dans les yeux. Elle paraissait très déterminée.

— Peut-être, répéta-t-il lentement. Mais pouvez-vous m'expliquer pourquoi ?

— Mon père m'avait dit qu'il m'apprendrait. Naturellement…

Elle écarta les bras.

— Je n'étais qu'une enfant, mais…

Poussant un soupir d'impatience, elle releva le menton.

— Parce que je trouve que ce serait amusant, voilà pourquoi !

Dillon observa son changement d'attitude, et sa petite moue obstinée. Il se mit à rire.

— Je vous emmènerai là-haut demain.

Il termina avec la clé, qu'il lui tendit pour qu'elle la range dans la boîte à outils. Elle contempla le manche noirci par le cambouis. Voyant sa répugnance, Dillon marmonna quelque chose qu'elle n'eut pas envie de mémoriser, puis il s'éloigna et prit une salopette à un crochet.

— Tenez, mettez ça. J'en ai encore pour un moment, autant que vous vous rendiez utile.

— Vous vous en sortirez mieux sans moi.

— Sans aucun doute, mais mettez-la quand même.

Laine soupira. Il était inutile de discuter. Dillon avait prouvé qu'il pouvait être encore plus obstiné qu'elle. Elle fit ce qu'il lui demandait, sous son regard attentif.

— Bon sang, elle est immense !

S'accroupissant, il se mit à rouler le bas des jambes.

— Je suis sûre que je vais être plus une gêne qu'une aide ! déclara-t-elle fermement.

— C'est probable, répliqua-t-il d'un ton jovial tout en lui roulant plusieurs fois le bas des manches.

D'un mouvement vif, il fit glisser la fermeture Eclair jusqu'à son cou. Quand il en eut fini avec la salopette, il plongea son regard pénétrant dans le sien. Laine retint son souffle. L'expression pleine d'assurance de Dillon se modifia. Un bref instant, elle crut y voir un éclair de tendresse, mais il laissa vite échapper un soupir d'impatience.

Poussant un juron, il s'engouffra dans le ventre de l'avion.

— Très bien, se hâta-t-il de dire, passez-moi un tournevis. Celui qui a un manche rouge ! Dépêchez-vous !

Connaissant cet outil, Laine farfouilla dans

la boîte et ne tarda pas à le trouver. Elle le posa dans sa main tendue.

Il travailla quelques minutes en silence, ne parlant que pour demander tel ou tel outil.

Laine finit par lui poser quelques questions sur le travail qu'il était en train de faire. Elle n'était pas obligée d'écouter ses réponses. Mais elle aimait entendre le son de sa voix. De plus, comme il était très absorbé, elle pouvait l'observer tranquillement sans qu'il s'en rende compte. Dans ses yeux luisait une expression étrange, très intense. Son menton et ses joues avaient une ligne ferme, et les muscles jouaient sur ses bras bronzés tandis qu'il les faisait travailler. Son menton était ombré d'une barbe naissante. Il n'avait pas dû se raser ce matin. Ses cheveux retombaient en boucles souples sur son col, et son sourcil droit remontait un peu plus haut que le gauche sous l'effet de la concentration.

Dillon se tourna vers elle pour lui demander quelque chose, mais elle resta pétrifiée. Ce qu'elle venait de comprendre était affolant. Non, elle se trompait certainement.

— Vous avez un problème ? interrogea-t-il en fronçant les sourcils.

Secouant la tête, elle avala péniblement sa salive.

— Non. Qu'avez-vous demandé ? Je n'ai pas fait attention.

Elle se pencha sur la boîte à outils pour cacher son désarroi, mais Dillon se servit lui-même et se remit au travail. Laine ferma les yeux. Heureusement, il n'avait pas vu à quel point elle était perplexe.

Elle posa une main sur sa poitrine. Son cœur battait à grands coups. Pourquoi l'amour arrivait-il avec une telle rapidité et une telle intensité ? Il devrait s'épanouir lentement, en commençant par de la tendresse, des sentiments doux. Il ne devrait pas vous poignarder sans pitié, et sans prévenir. Comment pouvait-on aimer quelqu'un que l'on n'arrivait pas à comprendre ? Dillon O'Brian était une énigme, un homme dont l'humeur semblait toujours changer sans qu'elle sache pourquoi. Et le savait-il lui-même ? Elle ne le connaissait pas. Tout ce qu'elle savait de lui, c'est qu'il était l'associé de son père, qu'il connaissait aussi bien le ciel que la mer, et qu'il se déplaçait aussi facilement dans l'un que dans l'autre. Mais elle n'ignorait pas que c'était un homme qui connaissait les femmes et qui pouvait leur donner du plaisir.

Et comment pouvait-on lutter contre l'amour quand on n'en avait pas la moindre connaissance ? C'était peut-être une question d'équilibre.

Laine redressa les épaules. Il fallait qu'elle trouve le moyen de marcher sur la corde raide qui s'étirait devant elle sans pencher ni à droite ni à gauche. Le tout était d'éviter de tomber.

— On dirait que votre voyage prend une tournure inattendue, commenta Dillon en sortant un chiffon de la poche de sa salopette.

Tirée de ses pensées, Laine sursauta. Il lui adressa un sourire malicieux.

— Vous faites vraiment un mécanicien déplorable, Duchesse, et plutôt débraillé, si vous me permettez.

Il lui frotta la joue avec le chiffon, faisant disparaître une tache noire.

— Il y a un évier, là-bas, si vous voulez vous laver les mains, continua-t-il. Je finirai ces ajustements plus tard. Ce moteur commence à m'énerver.

Sautant sur cette occasion pour se ressaisir, Laine marcha lentement vers l'évier. Puis elle se débarrassa de la salopette, qu'elle suspendit à un crochet. Pendant que Dillon se nettoyait, elle fit un tour dans le hangar. Quelques minutes plus tard, elle consulta sa montre et fronça les sourcils. Le temps avait passé à vive allure pendant qu'elle assistait bien maladroitement Dillon. Maintenant, un petit voile masquait la clarté du jour. Le long des pistes de roulement, les lumières clignotaient comme de petits yeux rouges. Laine se retourna. Dillon la regardait.

S'humectant les lèvres, elle fit de son mieux pour prendre un ton décontracté.

— Vous avez fini ?

— Pas encore. Venez ici.

Laine recula de quelques pas. La voix de Dillon était dure, autoritaire. Elle soupira, furieuse. Pour qui se prenait-il pour lui parler sur ce ton ? Voyant qu'elle restait immobile, Dillon releva un sourcil, puis il réitéra son ordre en ajoutant une nuance menaçante.

— Je vous ai dit de venir ici !

Le cœur battant la chamade, elle se mit à marcher malgré elle, comme poussée par une force qui la dépassait. Les jambes en coton, elle traversa l'espace qui les séparait. L'écho de ses pas résonnait comme le tonnerre et semblait rebondir d'un mur à l'autre. Pourvu que Dillon n'entende pas son cœur tambouriner dans sa poitrine, songea-t-elle. Elle se planta devant lui. Il l'examina longuement, comme s'il la voyait pour la première fois. Sans mot dire, il finit par poser les mains sur ses hanches et l'attirer contre lui. Leurs cuisses s'effleurèrent. Il la maintint fermement, sans la quitter des yeux. Prisonnière de ce regard brûlant, Laine tressaillit.

— Embrassez-moi, dit-il simplement.

Incapable de détourner les yeux, elle secoua la tête.

— Laine, je vous ai dit de m'embrasser.

Il l'attira encore plus près de lui, moulant son corps au sien. Son regard était devenu exigeant, sa bouche, tentante. Timidement, elle leva les bras et posa les mains sur ses épaules en se hissant sur la pointe des pieds. Elle soutint son regard tandis que leurs visages se rapprochaient et que leurs souffles commençaient à se mêler. Doucement, elle posa les lèvres sur les siennes.

Dillon attendit qu'elle devienne plus audacieuse et qu'elle lui enlace le cou. Bientôt, Laine soupira sous son baiser, plus pressant. Dillon glissa une main sous son chemisier et caressa sa peau douce, explorant lentement son dos, faisant naître de délicieux frissons sous ses doigts. Murmurant son nom contre sa bouche, elle s'arqua contre lui. Elle le désirait de tout son être. Une chaleur dévorante s'était emparée d'elle. Ses lèvres semblaient apprendre plus vite que ses neurones. Elles se mirent à chercher, à demander un plaisir qu'elle ne comprenait pas encore. Tout ce qui l'entourait s'évanouit. En cet instant précis, plus rien n'existait pour elle que Dillon et le désir qu'il faisait naître au plus profond d'elle.

Il finit par relâcher son étreinte. Muet, il scruta son regard, comme s'il y cherchait un message. Puis il écarta une mèche folle de sa joue.

— Je ferais mieux de vous ramener à la maison, dit-il d'une voix rauque.

— Dillon…

Elle fit une pause. Que pouvait-elle dire ? Tout cela était si affolant. Elle ferma les yeux.

— Allons, venez, Duchesse, vous avez eu une rude journée.

Il lui passa une main autour du cou et lui massa brièvement la nuque.

— Nous ne jouons pas sur un terrain d'égalité en ce moment. La plupart du temps, je préfère les combats à armes égales.

— Les combats ? répéta Laine d'une voix presque inaudible.

Faisant un violent effort, elle ouvrit les yeux.

— C'est cela pour vous, Dillon ? Un combat ?

— Le plus vieux de tous les temps, rétorqua-t-il.

Il eut un léger sourire, qui s'évanouit aussitôt. Brusquement, il la prit par le menton.

— Ce n'est pas terminé, Laine. Au prochain round, c'est le diable qui mènera le jeu.

Chapitre 7

Le lendemain matin, quand Laine descendit prendre son petit déjeuner, elle ne trouva que son père dans la maison.

— Bonjour, Petit Osselet ! cria Miri avant que James ne la voie. Asseyez-vous et déjeunez. Je vais vous faire du thé, puisque vous n'aimez pas mon café.

Partagée entre l'embarras et l'amusement, Laine sourit.

— Merci, Miri.

— Elle t'aime beaucoup, dit James en arrivant derrière elle. Laine se retourna.

Son père avait une lueur joyeuse dans les yeux.

— Depuis que tu es là, elle n'a qu'une idée : te faire grossir, continua-t-il en riant. Du coup, elle ne me fait plus de commentaire sur mon prétendu besoin de trouver une épouse.

Avec un petit sourire ironique, Laine le regarda se servir du café.

— Heureuse de t'aider, dit-elle. J'ai été un

peu envahissante, hier. J'espère que je ne t'ai pas trop dérangé.

— Bien sûr que non.

Il eut un sourire contrit.

— C'est moi qui aurais dû te montrer la maison. J'ai manqué à tous mes devoirs.

— Ce n'était pas gênant. En réalité...

Inclinant la tête, elle lui rendit son sourire.

—... le fait de découvrir la maison toute seule m'a permis de voir notre histoire sous un autre angle. Tu m'as dit que tu avais manqué toutes les étapes et que tu pensais toujours à moi comme si j'étais encore une petite fille. Je crois...

Elle écarta les doigts, comme si cela pouvait l'aider à clarifier ses pensées.

— Moi aussi, je les ai manquées, les étapes. Je veux dire que l'image que j'ai gardée de toi, c'est celle que j'avais dans mon enfance. Hier, j'ai commencé à voir James Simmons en chair et en os.

— Déçue ? dit-il d'un ton amusé.

— Impressionnée, corrigea-t-elle. J'ai vu un homme satisfait de lui et de sa vie, qui a l'amour et le respect des gens qui l'entourent. Je pense que mon père est un homme bien.

Le sourire qu'il lui adressa exprimait à la fois la surprise et le plaisir.

— C'est un sacré compliment, venant d'une fille adulte.

Il remplit sa tasse de café. Un silence complice s'installa quelques instants entre eux. Laine ne fit rien pour le rompre. Quelques instants plus tard, ses yeux glissèrent sur la chaise vide de Dillon.

— Dillon… n'est pas là ?

— Mmm ? Oh, il avait un déjeuner d'affaires. Il a un emploi du temps très chargé ce matin.

Il sirota son café. Laine l'observa. Il avait soudain un air radieux.

— Je vois, commenta-t-elle en faisant de son mieux pour cacher sa déception. Vous devez être surchargés de travail, tous les deux.

— La plupart du temps, oui.

James jeta un coup d'œil à sa montre et secoua lentement la tête d'un air plein de regret.

— En fait, moi aussi j'ai un rendez-vous. Je suis désolé de te laisser seule, mais…

— Je t'en prie, coupa Laine, je n'ai pas besoin que quelqu'un me distraie, et je pensais ce que je t'ai dit hier. Je ne veux pas contrecarrer tes projets. Je suis sûre que je peux trouver une foule de choses à faire.

— Très bien. Alors à ce soir.

Il se leva et se dirigea vers la porte. Au lieu de l'ouvrir, il se retourna.

— Miri peut demander une voiture si tu veux aller faire un peu de shopping en ville.

— Merci.

Laine secoua la tête. Ses fonds très limités ne lui donnaient guère les moyens de faire des achats.

— J'irai peut-être, dit-elle.

Elle le regarda s'éloigner, puis elle soupira en voyant de nouveau le siège vide de Dillon.

Elle passa une matinée paresseuse. Miri avait repoussé toutes ses tentatives pour l'aider à mettre la maison en ordre, lui conseillant plutôt de profiter de sa liberté pour se promener.

Laine prit son sac de plage et partit en direction de la baie. Ses impressions de la veille ne l'avaient pas trompée, l'endroit était vraiment paradisiaque. L'eau transparente était d'un turquoise parfait, le sable blanc était aussi pur que si aucun être humain ne l'avait jamais foulé. Elle étala sa serviette de bain et s'assit. Puis elle sortit un bloc pour jeter ses impressions sur le papier. Elle écrivit plusieurs lettres pour la France, longues et détaillées, sans toutefois faire la moindre allusion à la situation troublante dans laquelle elle se trouvait.

Pendant qu'elle écrivait, le soleil atteignit le zénith. L'air était chaud et humide. Bercée par le doux clapotis des vagues et le calme qui régnait dans ce lieu, elle finit par s'endormir.

Elle avait les membres lourds, et derrière ses paupières closes s'étalait un brouillard rouge. Comment la mère supérieure faisait-elle pour que le vieux fourneau dégage une telle chaleur ? se demanda-t-elle dans sa demi-torpeur. A contrecœur, elle lutta pour se réveiller tandis qu'une main la secouait par l'épaule.

— Un instant, ma sœur, marmonna-t-elle en français.

Elle soupira, comme si ces paroles l'avaient épuisée.

— J'arrive ! dit-elle dans la même langue.

Forçant ses yeux à s'ouvrir, elle resta interdite. Elle n'était pas au pensionnat, mais sur une plage déserte. Déserte, à l'exception de Dillon qui se tenait penché au-dessus d'elle.

— Décidément, j'ai pris l'habitude de vous réveiller, dit-il.

Il s'assit sur les talons et regarda ses yeux embrumés de sommeil.

— On ne vous a jamais dit de ne pas dormir en plein soleil, surtout avec votre peau claire ? Vous avez de la chance de ne pas avoir rôti complètement.

— Oh !

Chassant les dernières images de son rêve, elle s'assit, l'air penaud. Elle avait toujours la même sensation de culpabilité quand on la prenait en flagrant délit de sieste.

— Je ne sais pas pourquoi je me suis endormie. Ce doit être le calme.

— Ou la fatigue, rétorqua Dillon en fronçant

les sourcils. Vous commencez à avoir les yeux moins cernés.

Laine posa sur lui un regard mi-étonné, mi-perturbé.

— Mon père m'a dit que vous étiez très occupé, ce matin.

Apparemment, Dillon était toujours là pour la surveiller, même quand il était censé se trouver ailleurs. C'était déconcertant. Elle s'empressa de ranger son papier à lettres.

— Mmm… Oui. Vous avez fait du courrier ?

Elle leva les yeux sur lui, puis elle se tapota la bouche du bout de son stylo.

— Mmm… Oui.

Il eut un petit sourire en coin en l'aidant à se mettre debout.

— Je croyais que vous vouliez apprendre à piloter un avion ?

— Oh ! s'exclama-t-elle, le visage illuminé de plaisir. Vous n'avez pas oublié ! Vous êtes sûr d'avoir le temps ? Mon père m'a dit…

— Non, je n'ai pas oublié, et oui, j'ai le temps.

Il ramassa sa serviette de bain.

— Cessez de babiller comme si vous aviez douze ans et comme si je vous emmenais au cirque manger de la barbe à papa.

— Bien sûr, répondit-elle avec un petit sourire amusé.

Dillon poussa un soupir d'exaspération avant

de la saisir par la main et de l'entraîner à travers la plage. Il marmonna quelques paroles peu flatteuses à l'encontre des femmes en général.

Une heure plus tard, Laine était installée dans l'avion.

— Bon. C'est un monoplan tout simple. Un jour, je vous emmènerai dans le jet, pas...

— Vous avez un autre avion personnel ?

— Il y a des gens qui collectionnent les chapeaux, rétorqua sèchement Dillon.

Il désigna du doigt les différents indicateurs.

— Ce n'est pas plus compliqué de piloter un avion que de conduire une voiture, commença-t-il. La première chose indispensable, c'est de connaître les instruments et apprendre à les lire.

— Il y en a beaucoup...

Elle posa un regard dubitatif sur les chiffres et les aiguilles du tableau de bord.

— Pas tant que ça. Ce n'est pas un X-15.

Voyant son air affolé, il eut un petit rire et il fit démarrer le moteur.

— On y va ! Pendant que l'avion montera, je veux que vous observiez cette jauge. C'est l'altimètre, il...

— Il indique la hauteur de l'avion au-dessus de la mer ou du sol, termina Laine.

— Bravo.

Quand Dillon eut prévenu la tour de contrôle, il fit rouler l'avion sur la piste.

— Vous avez dévoré un des magazines de Cap'taine, cette nuit ? interrogea-t-il d'un ton narquois.

— Non, je me souviens de mes premières leçons. J'ai dû engranger tout ce que mon père disait quand j'étais petite.

Elle pointa une main fine et manucurée vers le tableau de bord.

— Ça, c'est le compas, et ça…

Elle fronça les sourcils pour se rappeler le nom exact.

— C'est un indicateur pour opérer un virage, mais je ne me souviens plus du terme précis.

Dillon poussa un petit sifflement.

— Je suis impressionné ! Mais vous êtes censée observer l'altimètre.

— Oh oui.

Plissant le nez, elle reporta les yeux sur l'appareil.

— Très bien.

Dillon lui adressa un bref sourire, qu'elle capta du coin de l'œil, puis il tourna son attention vers le ciel.

— La plus grande aiguille va faire un tour complet du cadran chaque fois que nous aurons pris trois cents mètres d'altitude. La plus petite fait la même chose tous les mille trois cents mètres. Une fois que vous connaîtrez les jauges et la façon de les lire, vous verrez que c'est moins compliqué qu'une voiture, et en général, il y a moins de circulation.

— Vous pourrez ensuite m'apprendre à conduire, suggéra Laine en observant la grande aiguille qui achevait son second tour complet du cadran.

— Vous ne savez pas conduire ? s'écria Dillon, incrédule.

— Non. C'est un crime, dans ce pays ? Je vous jure que d'après certaines personnes, j'ai une intelligence au-dessus de la moyenne. Je suis sûre que je vais apprendre à piloter cet engin aussi vite que n'importe lequel de vos élèves.

— C'est possible, marmonna-t-il. Mais comment se fait-il que vous n'ayez jamais passé votre permis de conduire ?

— Parce que je n'ai jamais eu de voiture. Cette réponse vous satisfait ? Et vous, dites-moi comment vous vous êtes cassé le nez ?

Dillon la regarda d'un air stupéfait. Elle eut un sourire contrit.

— Ma question est aussi peu pertinente que la vôtre, conclut-elle.

Dillon éclata de rire. Laine poussa un léger soupir de satisfaction. C'était agréable d'avoir remporté cette petite victoire.

— Quand ? demanda-t-il.

Cette fois, c'est elle qui lui jeta un coup d'œil perplexe.

— Je l’ai cassé à deux reprises, expliqua Dillon. La première, à dix ans. J’essayais de faire voler un avion en carton que j’avais monté moi-même. J’avais grimpé sur le toit du garage. Le système de propulsion n’était pas très au point. Je ne me suis cassé que le nez et le bras, mais on m’a dit que j’aurais pu me casser le cou.

— Et la seconde fois ?

— J’étais un peu plus âgé. C’était pendant une bagarre au sujet d’une fille. J’ai reçu un coup de poing sur le nez, et mon adversaire a perdu deux dents.

— Vous étiez plus vieux en âge, mais pas en sagesse, commenta Laine. Qui a eu la fille ?

Dillon lui adressa un sourire aussi bref qu’étincelant.

— Ni l’un ni l’autre. Nous avons conclu qu’après tout, elle ne valait pas la peine que nous nous bagarrions pour elle. Nous avons pansé nos blessures autour d’une bière.

— Quelle galanterie !

— Oui, je savais bien que vous aviez remarqué ce trait particulier qui me caractérise ! ironisa-t-il. C’est plus fort que moi. Maintenant, ne quittez pas des yeux votre fameux indicateur, et je vais vous expliquer comment il fonctionne.

Pendant une demi-heure, il se transforma en professeur accompli, répondant patiemment à ses questions. Laine n'en revenait pas. Dillon faisait preuve d'une patience vraiment inattendue.

Dans un ciel parsemé de petits nuages tout ronds, ils survolèrent les montagnes et la bouche béante du canyon Waimea aux teintes multiples. Ils tournoyèrent au-dessus de l'océan aux vagues moutonnantes. Laine était enchantée. Elle commençait à voir la similarité entre la liberté offerte par le ciel et celle de la mer. Et à comprendre la fascination à laquelle Dillon avait fait allusion, ainsi que le besoin de relever un défi, d'explorer. Elle l'écouta avec la plus extrême concentration, bien résolue à ne rien oublier de son enseignement.

— Un petit orage arrive derrière nous, annonça Dillon une heure plus tard. Nous n'allons pas y échapper.

Il se tourna vers elle en souriant.

— Vous allez être un peu secouée, Duchesse.

— Ah oui ?

Essayant d'adopter le même état d'esprit, Laine tourna la tête pour étudier les nuages noirs qui approchaient.

— Vous pouvez passer dans les nuages ? interrogea-t-elle d'un ton plus léger que son estomac, qui commençait à se nouer.

— Pourquoi pas ?

Laine tourna rapidement la tête vers lui.

Dillon la regardait d'un air taquin. Elle poussa un soupir de soulagement.

— Vous avez un sens de l'humour très particulier ! dit-elle. Unique, en fait !

Elle retint son souffle. Les nuages les enveloppaient maintenant comme une couverture floconneuse. Subitement, ils se retrouvèrent dans l'obscurité, la pluie battant furieusement l'avion. A la première turbulence, Laine ravala un cri de frayeur.

— Je suis toujours fasciné quand je me trouve dans les nuages, dit tranquillement Dillon. Ce n'est rien d'autre que de la vapeur et de l'humidité, mais ils sont fabuleux.

Il parlait d'une voix calme, sereine. Laine sentit son cœur affolé se calmer un peu.

— Les cumulus d'orage sont les plus intéressants, mais il vaut mieux qu'ils soient accompagnés d'éclairs, continua-t-il d'un ton toujours dégagé.

— Je pense que je pourrais m'en passer, marmonna-t-elle.

— Vous dites cela parce que vous n'en avez jamais vu d'ici. Quand vous volez au-dessus des éclairs, vous pouvez les voir traverser les nuages. Les couleurs sont incroyables.

— Avez-vous traversé beaucoup d'orages en avion ?

Elle regarda par les hublots. Les cumulus noirs comme de l'encre se déplaçaient à toute allure.

— Plus que ma part, répondit-il. Celui-là, nous allons le retrouver en atterrissant. Mais il ne va pas durer longtemps.

L'avion tressauta de nouveau dans la tourmente. Les yeux élargis par l'angoisse, Laine resta muette. Dillon eut un large sourire.

Elle était furieuse. Dillon avait dû sentir qu'elle avait peur. Il fallait qu'elle se reprenne, sinon, il n'avait pas fini de se moquer d'elle. Prenant une profonde inspiration, elle se força à parler.

— Vous aimez ce genre de sensations, n'est-ce pas ? L'excitation que donne le sens du danger ?

— Cela permet de garder ses réflexes, Laine.

Il lui adressa un sourire dépourvu de cynisme.

— Et cela empêche la vie d'être ennuyeuse.

Il plongea les yeux dans les siens. Laine soutint un instant son regard, tandis que son cœur dansait dans sa poitrine.

— La vie est faite essentiellement de stabilité, dit-il en ajustant son pilotage pour compenser les effets du vent. Le travail, les factures, les polices d'assurance… c'est ce qui en assure l'équilibre. Mais parfois, on a envie de chevaucher des montagnes russes, de faire une course, de partir sur les déferlantes. C'est ce qui fait le sel de la vie. Naturellement, il est préférable d'éviter que cet aspect prenne le pas sur l'autre.

Laine hocha vaguement la tête. Oui. C'est ce qui avait manqué à sa mère. Vanessa n'avait jamais été capable d'assurer cet équilibre. Elle passait son temps à se lasser de ce qu'elle avait, à convoiter toujours quelque chose de nouveau. Laine poussa un soupir imperceptible. Peut-être elle-même avait-elle surcompensé ce manque de stabilité en forçant trop dans la sécurité. Elle avait trop lu, et pas assez vécu. Elle commença à se détendre. Un léger sourire sur les lèvres, elle se tourna vers Dillon.

— Il y a longtemps que je ne suis pas allée sur les montagnes russes. Oh, regardez !

Pressant le nez contre la vitre, elle regarda en bas.

— On se croirait dans *Macbeth*, avec ce ciel sinistre, et cette brume. J'aimerais voir ces éclairs, Dillon, j'aimerais vraiment les voir !

Dillon se mit à rire. Elle avait parlé avec un tel enthousiasme !

— Je vais voir ce que je peux faire, dit-il en entamant la descente.

Les nuages parurent tourbillonner et se dissoudre tandis que l'avion perdait de l'altitude. Leur épaisseur se transforma en minces filaments gris pâle. En dessous, le paysage réapparut, ses couleurs ravivées par la pluie. Alors qu'ils atterrissaient, Laine fit une petite moue de déception. Elle éprouvait déjà une vague sensation de manque.

— Si vous voulez, je vous emmènerai de nouveau dans deux ou trois jours, déclara Dillon.

L'avion s'immobilisa sur la piste.

— Oh, oui ! J'aimerais beaucoup cela. Je ne sais pas comment vous remercier pour…

— Faites vos devoirs, dit-il en ouvrant sa portière. Je vais vous prêter quelques livres, vous pourrez vous familiariser avec les instruments.

— Oui, prof, dit-elle d'un air espiègle.

Dillon la regarda fixement quelques secondes avant de sauter de l'avion. Mais Laine manquait d'habitude en la matière. Il lui fallut plus de temps. Elle se sentit enlevée avant de terminer le processus.

Sous la pluie battante, ils restèrent face à face, les mains de Dillon posées sur sa taille. Elle sentait leur chaleur à travers son chemisier humide. Des mèches de cheveux noirs retombaient sur le front de Dillon. Sans y penser, elle leva une main pour les rejeter en arrière. Et elle se retrouva dans ses bras. Cela commençait à devenir une douce habitude, songea-t-elle, le cœur battant. Comme si c'était un endroit où elle se serait déjà trouvée une multitude de fois, avec la promesse que cela recommencerait éternellement. Le cœur gonflé, elle ravala un cri de plaisir.

— Vous êtes trempé, dit-elle en posant la main sur sa joue.

— Vous aussi.

Il resserra ses mains autour de sa taille, mais il ne l'attira pas plus près de lui.

— Cela m'est égal.

En soupirant, Dillon posa le menton sur le haut de sa tête.

— Miri va me passer un savon si je vous laisse attraper un rhume.

— Je n'ai pas froid, murmura-t-elle.

Elle éprouvait un plaisir indescriptible dans ses bras.

— Vous frissonnez.

Sans préambule, il la prit par un bras et l'entraîna à son côté.

— Allons dans mon bureau, vous pourrez vous sécher avant que je vous ramène.

Pendant qu'ils marchaient, la pluie se transforma en bruine. De timides rayons dorés la transpercèrent, et quelques minutes plus tard, un soleil éclatant effaça les dernières gouttes. Laine leva les yeux sur les bâtiments. Elle se rappelait celui dans lequel se trouvait le bureau de Dillon. En souriant, elle repoussa une mèche de cheveux derrière l'oreille et s'écarta de lui.

— J'arriverai avant vous ! le défia-t-elle en s'élançant sur le pavé mouillé.

Il la rattrapa à la porte. Laine était radieuse, et

essoufflée. Ils éclatèrent de rire. Soudain très à l'aise, elle lui enlaça le cou. Elle se sentait prête à toutes les folies, et désespérément amoureuse.

— Vous êtes rapide, remarqua Dillon.

Elle renversa la tête en arrière pour le regarder dans les yeux.

— Si vous ne l'êtes pas, vous apprenez vite à le devenir, quand vous dormez en dortoir. Arriver la première à la salle de bains est une vraie compétition.

Elle aurait juré que le sourire de Dillon s'était évanoui avant que leur tête-à-tête ne soit interrompu.

— Dillon, je suis désolée de vous déranger...

Laine jeta un coup d'œil par-dessus son épaule. C'était une jeune femme à la beauté classique, aux cheveux corbeau ramenés en chignon sur sa nuque gracile. Elle la regarda avec une curiosité qu'elle ne chercha pas à cacher. Laine se fit violence pour s'extraire des bras de Dillon.

— Pas de problème, Fran. Je vous présente Laine Simmons, la fille de James. Laine, voici Fran, ma comptable.

— Il veut dire, sa secrétaire, corrigea Fran avec un soupir d'exaspération. Mais cet après-midi, j'ai plutôt l'impression d'être transformée en répondeur téléphonique. Vous avez une douzaine de messages sur votre bureau.

— Sont-ils urgents ? s'enquit Dillon en entrant dans une petite pièce adjacente au bureau.

— Non.

Laine était restée dans l'entrée. Fran lui adressa un sourire amical.

— Les personnes qui ont appelé ne veulent pas prendre de décision avant d'avoir l'avis du seigneur et maître, railla-t-elle. Je leur ai dit que vous n'étiez pas là aujourd'hui et que vous les rappelleriez demain.

— Parfait.

Ressortant dans le hall, Dillon lança une serviette-éponge à Laine avant d'entrer dans le bureau.

— Je croyais que vous deviez prendre quelques jours de congé, marmonna Fran tandis qu'il consultait les messages.

— Mmm, apparemment, il n'y a rien d'urgent dans tout ça.

— Je vous l'ai déjà dit !

Fran les lui arracha des mains.

Dillon sourit et lui tapota la joue.

— Savez-vous ce que voulait Orchidée ?

Laine se séchait les cheveux. Elle fit une pause, puis elle recommença.

— Non, répondit Fran. Mais je crains bien d'avoir été un peu abrupte avec elle à son troisième appel.

— Elle devrait pouvoir survivre, plaisanta Dillon.

Il se tourna vers Laine.

— Prête ?

— Oui.

Brusquement découragée, elle traversa la pièce et lui rendit la serviette.

— Merci.

— Pas de quoi !

D'un geste désinvolte, il jeta la serviette vers Fran.

— A demain, cousine.

— Oui, monsieur ! dit Fran en riant.

Elle leur adressa un petit geste amical. Dillon prit Laine par un bras et ils sortirent.

Pendant le trajet de retour, Laine fit un effort surhumain pour chasser Orchidée King de sa pensée. Après le dîner, elle s'installa sur la terrasse en compagnie de son père et de Dillon. Le soleil commençait à passer sous la ligne d'horizon. La luminosité du ciel était magnifique. Le bleu intense des Tropiques laissait la place à des nuances dorées et pourpres, et les nuages bas étaient zébrés de roses et de mauves. Ce crépuscule avait quelque chose de magique et d'apaisant. Assise dans un fauteuil en rotin, Laine se régala de ce spectacle. Pendant que les hommes parlaient affaires, elle passa sa journée en revue. Elle se sentait dans une douce torpeur. Pour la première fois de son existence, elle était détendue à la fois physiquement et mentalement. Sans doute était-ce dû aux aventures de ces derniers jours, à la nouveauté des sensations et émotions multiples qu'elle avait éprouvées.

Marmonnant au sujet d'une tasse de café, James se leva et se glissa dans la maison. Laine lui fit un sourire absent quand il passa près d'elle. Repliant les jambes sous ses fesses, elle contempla les premières étoiles qui clignotaient.

— Vous êtes très silencieuse ce soir, fit remarquer Dillon en se renversant dans son fauteuil.

Il eut un petit rire, qui ricocha dans la nuit.

— Je me disais que c'est un pays merveilleux.

Elle poussa un soupir de contentement.

— Je suis sûre que c'est le plus bel endroit de la planète.

— Plus beau que Paris ? questionna Dillon avec une petite pointe de provocation dans la voix.

Laine tourna vers lui un regard interrogateur.

— Ce n'est pas comparable, finit-elle par répondre. Certains quartiers de Paris sont beaux, avec leurs vieux immeubles patinés par le temps. D'autres sont élégants, et chic. Cette ville ressemble à une femme qui aurait souvent entendu dire qu'elle était charmante. Mais la beauté est plus primitive, ici. Cette île est en même temps innocente et sans âge.

— Beaucoup de gens se lassent de l'innocence, fit remarquer Dillon en haussant les épaules.

Il tira longuement sur sa cigarette.

— Je suppose que c'est vrai, admit-elle.

Elle fit une pause. Pourquoi Dillon paraissait-il tout à coup distant et cynique ?

— Dans cette lumière, vous ressemblez beaucoup à votre mère, dit-il brusquement.

Laine tressaillit.

— Comment pourriez-vous le savoir ? Vous ne l'avez jamais vue.

— Cap'taine a une photographie.

Il se tourna vers elle, mais son visage resta dans l'ombre.

— Vous lui ressemblez vraiment beaucoup, insista-t-il.

— C'est l'exacte vérité ! renchérit James.

Il réapparut sur la terrasse, portant un plateau, qu'il posa sur la petite table ronde de verre. Puis il la regarda attentivement.

— Oui, c'est renversant. La lumière tombe sous un certain angle, ou bien tu as une certaine expression, et tout d'un coup, c'est ta mère vingt ans plus tôt.

— Je ne suis pas Vanessa !

Laine bondit de son siège. Sa voix vibrait de fureur.

— Je ne lui ressemble pas !

Sentant les larmes gonfler ses paupières, elle se mordit la lèvre inférieure. Elle n'allait certainement pas pleurer devant eux. Son père l'observa d'un air étonné.

— Je ne lui ressemble pas, répéta-t-elle, la gorge serrée. Je ne veux pas qu'on me compare à elle !

Folle de rage contre eux et contre elle-même, elle tourna les talons et entra en trombe dans la maison. En se précipitant vers l'escalier, elle entra en collision avec Miri. Bafouillant une excuse, elle grimpa les marches quatre à quatre et alla s'enfermer dans sa chambre.

Elle faisait les cent pas depuis cinq minutes quand Miri entra.

— Qu'est-ce qui se passe dans cette maison ? demanda-t-elle en croisant les bras sur son ample poitrine.

Secouant la tête, Laine s'assit sur le lit. Plus furieuse que jamais contre sa faiblesse, elle fondit en larmes. Miri fit claquer sa langue avant de parler doucement en hawaïen, puis elle s'approcha d'elle et, sans rien dire, la prit dans ses bras et la serra contre son cœur.

— C'est la faute de Dillon, n'est-ce pas ? finit-elle par murmurer en la berçant.

— Non, ce n'est pas sa faute, objecta Laine, subjuguée par ce réconfort nouveau pour elle. Enfin, si… c'est… leur faute à tous les deux.

Eprouvant soudain un besoin désespéré d'être rassurée, elle continua d'une voix entrecoupée de sanglots :

— Je ne suis pas du tout comme elle, Miri. Pas du tout !

— Bien sûr, bien sûr, dit Miri d'une voix apaisante en caressant ses boucles blondes. Mais de qui parlez-vous ?

— De Vanessa.

Laine essuya ses larmes du revers de la main.

— Ma mère. Ils me regardaient tous les deux en disant que je suis son portrait tout craché.

— Mais qu'est-ce que ça veut dire ? Toutes ces larmes parce que vous ressemblez à votre mère ?

Miri la repoussa doucement en la tenant par les épaules.

— Pourquoi pleurer pour ça ? Je croyais que vous étiez une fille intelligente, et voilà que vous versez toutes ces larmes inutiles.

— Vous ne pouvez pas comprendre.

Ramenant ses genoux contre sa poitrine, Laine y posa son menton.

— Je ne veux pas être comparée à elle. Vanessa était égoïste, égocentrique et malhonnête.

— C'était votre mère, dit Miri en la foudroyant du regard.

Laine resta bouche bée.

— Vous devez parler d'elle avec respect. Elle est morte, et quoi qu'elle ait fait, c'est terminé maintenant. Vous devez oublier.

Elle la secoua doucement.

— Sinon, vous ne serez jamais heureuse. Dillon et votre père vous ont-ils dit que vous étiez égoïste, égocentrique et malhonnête ?

— Non, mais…

— Qu'est-ce que votre père vous a dit ?

Laine poussa un profond soupir.

— Il m'a dit que je ressemblais à ma mère.

— C'est vrai ? Ou est-ce qu'il dit n'importe quoi ?

— Oui, je crois que c'est vrai.

— Eh bien, votre mère était une jolie femme, vous êtes une jolie femme.

Lui prenant le menton entre deux doigts, elle lui fit relever la tête.

— Savez-vous qui vous êtes, Laine Simmons ?

— Oui, je crois.

— Alors, je ne vois pas où est le problème.

Miri lui tapota affectueusement la joue.

— Oh, Miri !

Laine se mit à rire en s'essuyant les yeux.

— J'ai l'impression de m'être comportée de façon ridicule.

— C'est la vérité.

Laine hocha la tête.

— J'imagine que je dois aller leur présenter des excuses.

Elle se dirigea vers la porte, mais Miri croisa les bras et lui bloqua le passage.

— Vous ne le ferez pas !

Laine la regarda dans les yeux.

— Mais vous venez de dire…

— J'ai dit que vous étiez stupide de pleurer. Mais M. Simmons et M. Dillon le sont autant que vous. Aucune femme ne devrait être comparée à une autre. Vous êtes spéciale, vous êtes unique. Parfois, les hommes ne voient que l'apparence.

Miri lui tapota les joues du bout des doigts.

— Cela leur prend du temps pour voir ce qu'il y a à l'intérieur. Alors…

Elle lui adressa un sourire étincelant.

— Vous n'allez certainement pas vous excuser. C'est eux qui vont le faire.

— Je vois, dit Laine.

Elle secoua la tête. Et soudain, elle éclata de rire et retourna s'asseoir sur son lit.

— Merci, Miri, je me sens beaucoup mieux.

— Tant mieux. Et maintenant, au lit ! Moi, je descends voir Dillon et Cap'taine. Je vais leur frotter les oreilles !

Laine sourit. Miri semblait se réjouir à l'avance, c'était très perceptible dans sa voix.

Chapitre 8

Le lendemain matin, Laine enfila sa robe couleur tilleul, l'une de ses préférées. Le tissu soyeux était comme une seconde peau. Mal à l'aise à cause de l'incident de la veille, elle descendit lentement l'escalier et fit une pause sur le seuil de la salle à manger. Dillon et son père avaient commencé leur petit déjeuner. Ils étaient plongés dans une conversation animée.

— Si Bob a besoin de sa semaine, je peux le remplacer sur les charters, annonça Dillon en remplissant une tasse de café.

— Non, tu as assez de boulot. Mais au fait, tu devais bien prendre quelques jours ? Tu as changé d'avis ?

James accepta la tasse qu'il lui tendait. Il lui jeta un coup d'œil sévère.

— Je n'ai pas été beaucoup au bureau la semaine dernière, fit remarquer Dillon en souriant.

Comme l'expression de James ne changeait pas, il haussa les épaules.

— Je prendrai une semaine le mois prochain.

— Où ai-je déjà entendu ces paroles ? demanda James en regardant le plafond.

Dillon sourit encore.

— Je ne t'ai pas dit que je prenais ma retraite l'année prochaine ? dit-il d'un ton taquin.

Il sirota lentement son café.

— Pendant que tu continueras à suer sang et eau, je commencerai à faire du deltaplane, continua-t-il. Qui vas-tu asticoter si je ne suis pas là toute la journée ?

— Quand tu pourras t'éloigner d'ici plus d'une semaine, il sera temps que je prenne ma retraite. Le problème avec toi…

Il leva vers Dillon une cuillère accusatrice.

—… c'est que tu es trop malin et que tu l'as montré à trop de gens. Maintenant, tu es coincé. Tu n'aurais jamais dû dire que tu avais ce diplôme d'ingénieur aéronautique.

Il se mit à rire.

— Du deltaplane… !

Voyant Laine, il leva sa tasse.

— Bonjour, Laine !

Elle sursauta.

— Bonjour !

Pourvu que sa petite démonstration de fureur ne lui ait pas coûté une partie des minuscules progrès qu'elle avait faits avec son père !

— Est-ce que je peux me permettre de t'inviter à entrer ?

Il avait un sourire penaud, mais il lui fit signe d'avancer.

— Je me souviens que tes colères étaient fréquentes, violentes, mais de courte durée.

Laine poussa un imperceptible soupir de soulagement. Dieu merci, il ne s'était pas cru obligé de lui présenter des excuses en prenant un air guindé.

— Ta mémoire est bonne, mais je t'assure que ça arrive de moins en moins souvent.

Elle tourna vers Dillon un pâle sourire. Elle avait décidé d'aborder ce sujet avec le maximum de détachement.

— Bonjour, Dillon.

— Bonjour, Duchesse. Du café ?

Avant qu'elle ait le temps de refuser, il lui remplit une tasse.

— Merci, murmura-t-elle. C'est difficile à croire, mais il me semble que cette journée est encore plus belle qu'hier. Je crois que je ne m'habituerai jamais à vivre au paradis.

— Tu n'en as vu qu'une infime partie, commenta James. Tu devrais aller dans la montagne. Ou au centre de l'île. C'est l'un des points les plus humides de la planète. La forêt tropicale est une merveille qu'il ne faut pas rater.

— Le paysage semble très varié, dit-elle en

remuant son café. J'ai du mal à imaginer qu'il existe un endroit encore plus beau que celui où nous sommes.

— Demain, je vous emmènerai voir du pays, annonça Dillon.

Laine lui jeta un coup d'œil acéré.

— Je ne veux pas que vous changiez votre emploi du temps pour moi. Je vous ai déjà fait perdre beaucoup de temps.

Elle n'avait pas encore retrouvé sa sérénité par rapport à lui. Elle se sentait à la fois méfiante et vulnérable.

— J'en ai encore plus à partager, affirma-t-il.

Il se leva brusquement.

— Je vais régler deux ou trois affaires. Je serai de retour vers 11 heures. A tout à l'heure, Cap'taine.

Il sortit à grands pas sans attendre qu'elle lui fasse part de son accord.

Miri entra en portant une assiette débordante de fruits, qu'elle posa devant elle. Baissant les yeux sur sa tasse, elle fronça les sourcils.

— Pourquoi prenez-vous du café puisque vous n'en buvez pas ?

Avec un profond soupir, elle prit la tasse et sortit de la salle à manger. Laine choisit un fruit, et fit de son mieux pour ne pas se laisser dominer par l'anxiété. Que lui réservait cette journée ? Elle aurait aimé le savoir à l'avance.

En fait, la matinée passa très vite.

Comme si elle lui octroyait une faveur royale, Miri accepta qu'elle change l'eau des fleurs. Entre deux vases à rafraîchir, elle fit un tour dans le jardin. Il n'était pas comme celui de son enfance en Amérique, ni comme le petit jardin du pensionnat dans lequel elle avait grandi. C'était une étendue luxuriante, qui offrait une infinie variété de verts et d'autres couleurs éclatantes. Les plantes n'étaient pas disposées en rangées bien tracées mais semblaient pousser où bon leur semblait. Ce désordre apparent formait un ensemble envoûtant. Elle ne put s'empêcher de penser aux jonquilles qui devaient commencer à fleurir sous sa fenêtre, au collège. C'était curieux, mais elle n'éprouvait absolument pas le mal du pays. Elle n'avait aucune hâte de retrouver la voix douce des religieuses, ni les voix parfois suraiguës de ses élèves. C'était probablement très dangereux, mais elle commençait à se sentir chez elle à Kauai.

A l'idée de retourner en France et de retrouver le cours normal de sa vie, elle frissonna.

Elle posa le vase de frangipanier sur le bureau de son père et examina la photographie sur laquelle il posait avec Dillon. La vie était vraiment étrange. Ils allaient bientôt lui manquer terriblement. Poussant un soupir, elle enfouit son visage dans le bouquet.

— Les fleurs vous rendent triste ?

Faisant volte-face, elle faillit renverser le vase. Pendant un instant, elle fixa Dillon sans parler. Elle sentait la tension qui s'installait entre eux, mais elle n'aurait su en dire la cause ni la signification. Elle finit par répondre par une autre question.

— Bonjour. Il est déjà 11 heures ?

— Il est bientôt midi. Je suis en retard.

La dévorant des yeux, Dillon fourra les mains dans ses poches. Derrière elle, le soleil tombait à flots sur ses cheveux, les enveloppant d'un halo doré.

— Vous avez faim ?

— Non, répondit-elle en secouant la tête.

Un sourire passa dans le regard de Dillon.

— Alors, on y va ?

— Oui. Je vais dire à Miri que je ne déjeune pas.

— Elle le sait déjà.

Traversant le bureau, Dillon fit glisser la porte coulissante qui donnait sur l'extérieur. Il se retourna vers Laine et attendit qu'elle le précède.

Il conduisait sans parler. Respectant son silence, Laine contempla le paysage. Des montagnes verdoyantes se dressaient de chaque côté de la route. La voiture longeait maintenant un précipice. Quelques kilomètres plus loin, la mer apparut au fond du ravin.

— Autrefois, on jetait des torches enflammées par-dessus les falaises pour vénérer les divinités, dit brusquement Dillon. D'après la légende, le peuple des lutins vivait ici, il y a plusieurs milliers d'années. Vous voyez, là-bas ?

Il arrêta la voiture et montra un profond précipice surmonté de bosquets.

— C'était leur escalier. Ils construisaient des bassins à poissons à la clarté de la lune.

— Où sont-ils maintenant ? demanda Laine en riant.

Dillon ouvrit la portière.

— Oh, ils sont toujours là. Mais ils se cachent.

Ils descendirent de voiture et marchèrent au bord de la falaise. Laine sentit son cœur chavirer. La hauteur était vertigineuse. Des vagues écumantes venaient se fracasser tout en bas contre les rochers. Un bref instant, elle eut l'impression qu'elle allait tomber.

Ne souffrant pas de vertige, Dillon regardait tranquillement la mer. La brise taquinait ses cheveux, emmêlant ses boucles noires.

— Vous avez la remarquable capacité de savoir à quel moment il faut rester silencieuse, fit-il remarquer.

— Vous paraissiez préoccupé.

Le vent lui envoya des mèches dans les yeux. Elle les repoussa d'une main légère.

— J'ai pensé que vous réfléchissiez peut-être à un problème.

— Et vous ?

Il tourna la tête vers elle. Il avait à la fois l'air amusé et agacé.

— Je veux vous parler de votre mère.

Cette déclaration était si inattendue que Laine resta un instant interdite.

— Et moi, je n'en ai aucune envie, finit-elle par rétorquer.

Il la prit par le bras.

— Vous étiez furieuse, hier soir. Pourquoi ?

Elle secoua la tête, faisant danser ses cheveux blonds.

— J'ai mal réagi. C'était ridicule. Il m'arrive de me laisser emporter par ma mauvaise humeur. Heureusement, c'est plutôt rare.

Elle le regarda dans les yeux. Visiblement, Dillon n'était pas satisfait de sa réponse. Elle aurait tant aimé lui dire à quel point elle s'était sentie blessée, mais elle se rappela leur première conversation dans la maison de son père, et le jugement glacial qu'il avait porté sur elle.

— Dillon, toute ma vie j'ai été acceptée pour ce que je suis.

Elle parlait lentement, choisissant prudemment ses mots.

— Je ne veux pas être comparée à Vanessa parce que nous partageons quelques traits physiques.

— Croyez-vous que votre père vous comparait à elle sur un autre plan ?

— Peut-être, peut-être pas.

Elle releva le menton un peu plus haut.

— Mais vous, c'est ce que vous avez fait.

— Vraiment ?

C'était une question qui ne demandait pas de réponse. Laine ne dit rien.

— Pourquoi êtes-vous si amère à son sujet, Laine ?

Elle haussa légèrement les épaules et se tourna vers la mer.

— Je ne suis pas amère, Dillon, du moins, je ne le suis plus. Vanessa est morte, et cette partie de ma vie est derrière moi. Je ne veux pas parler d'elle tant que je n'arriverai pas à analyser mes sentiments.

— Comme vous voulez.

Ils restèrent quelques instants immobiles dans la brise parfumée.

— J'ai beaucoup plus de problèmes avec vous que je n'avais craint, finit-il par marmonner.

— Je ne vois pas de quoi vous parlez.

— Bien sûr.

Il plongea un regard pénétrant dans le sien.

Laine tressaillit. C'était comme s'il lisait jusqu'au plus profond d'elle.

— Je suis sûr que vous êtes sincère, continua-t-il.

Il s'éloigna, puis il fit une pause. Après une seconde d'hésitation, il se tourna vers elle et lui tendit la main. Laine ne bougea pas. Que cherchait-il exactement ? Elle haussa imperceptiblement les épaules. Après tout, ne s'était-elle pas promis de ne plus rêvasser à son sujet ? C'était trop dangereux. Dans huit jours, elle serait loin.

Avançant vers lui, elle lui prit la main.

Ils marchèrent encore quelques minutes, puis ils remontèrent en voiture. Dillon avait retrouvé sa décontraction coutumière. Laine se détendit. Le paysage était un enchantement. Les fleurs s'épanouissaient, formant un véritable feu d'artifice. La mousse, d'un vert vibrant, s'accrochait aux falaises, aux pierres. Ils passèrent les oreilles d'éléphant, dont les feuilles étaient assez larges pour protéger de la pluie ou du soleil. Là, les frangipaniers étaient plus variés, et plus brillants. Quand Dillon arrêta encore la voiture, Laine n'hésita pas à prendre sa main.

Il la conduisit le long d'un sentier abrité du soleil par des palmiers. Il semblait connaître très bien le chemin. Laine entendit l'eau cascader avant même qu'ils soient entrés dans la clairière. La vue lui coupa le souffle. Un étang rond, entouré de gros arbres, était alimenté par une cascade qui scintillait sous les rayons tamisés du soleil.

— Oh, Dillon, quel paysage de rêve ! Il ne doit pas y avoir deux endroits au monde comme celui-ci !

Elle courut jusqu'au bord du lac, puis elle trempa ses mains dans l'eau, chaude et douce comme de la soie.

— Si je pouvais, je viendrais prendre un bain de minuit, dit-elle.

En riant, elle fit éclabousser l'eau.

— Avec des fleurs dans mes cheveux et rien d'autre !

— C'est la seule façon de prendre un bain de minuit qui soit permise selon les lois de l'île ! renchérit Dillon en riant.

Enchantée, Laine se tourna vers un massif et cueillit un hibiscus écarlate.

— Je suppose que je n'ai pas besoin d'avoir de longs cheveux bruns et la peau mate pour y être autorisée ?

Lui prenant la fleur, Dillon la lui posa sur l'oreille. Après avoir examiné le résultat, il lui adressa un sourire ensorcelant en passant un doigt sur sa joue.

— L'ivoire et le miel suffisent amplement. Il y a une époque où vous auriez été adorée avec toute la pompe et les cérémonies d'usage, puis jetée par-dessus une falaise en offrande à des dieux jaloux.

Laine éclata de rire.

— Mmm, je ne crois pas que cela m'aurait convenu…

Elle regarda autour d'elle.

— Est-ce que c'est un lieu secret ? C'est l'impression que j'ai depuis que nous sommes arrivés ici.

Otant ses chaussures, elle s'assit au bord du lac et plongea les pieds dans l'eau.

— Pourquoi pas, si vous le voyez ainsi !

Dillon s'assit en tailleur à côté d'elle.

— Mais ce n'est pas indiqué sur la carte touristique, reprit-il.

— Je suis sûre que c'est un lieu magique, exactement comme cette petite baie. Vous ne le sentez pas, Dillon ? Vous rendez-vous compte à quel point tout cela est merveilleux et rafraîchissant, ou êtes-vous complètement blasé ?

— Je ne suis pas blasé devant la beauté.

Il lui prit la main et l'effleura de ses lèvres. Laine posa sur lui des yeux élargis par le plaisir. Le baiser de Dillon avait provoqué un petit picotement le long de son bras. Souriant, il retourna sa main et embrassa longuement sa paume.

— Vous ne pouvez pas avoir vécu à Paris pendant quinze ans sans qu'on vous baise au moins une fois la main. J'ai vu cela dans des films, dit-il, mi-sérieux, mi-railleur.

Il parlait avec légèreté. Prenant une profonde inspiration, Laine essaya de retrouver ses esprits.

— En fait, tout le monde me baise la main gauche. Vous m'avez décontenancée en embrassant la droite !

Elle fit gicler de l'eau avec ses pieds et regarda les gouttes briller dans le soleil avant d'être englouties par le lac.

— Quand la pluie tombera, à l'automne, et que l'humidité se faufilera par les fenêtres, je penserai à cet endroit.

Sa voix avait changé, elle était devenue mélancolique, et vibrante de désir.

— Et quand ce sera le printemps et que les fleurs embaumeront l'air, je penserai aux parfums d'ici. Et le dimanche, quand le soleil brillera, je marcherai le long de la Seine en me rappelant cette merveilleuse cascade.

La pluie arriva sans prévenir, véritable douche irisée de soleil. Prenant la main de Laine, Dillon se remit debout et l'entraîna à l'abri d'un massif de palmiers.

— Oh, comme elle est chaude ! s'exclama-t-elle en offrant son visage au ciel.

Se penchant hors du toit de verdure, elle mit ses mains en coupe pour récolter quelques perles de pluie.

— On dirait qu'elle vient tout droit du soleil.

— Ici, les gens l'appellent le soleil liquide.

Il la tira par la main pour qu'elle se remette à l'abri.

— Vous allez être trempée. On dirait que vous aimez prendre une douche en restant habillée.

Il lui ébouriffa les cheveux, envoyant une multitude de fines gouttelettes dans l'air.

— Oui, je crois que j'aime beaucoup cela.

Elle contempla les couleurs changeantes du ciel. Les fleurs tremblaient sous la pluie.

— Il y a tant de choses qui n'ont pas été souillées sur cette île, comme si personne ne les avait jamais approchées.

Elle poussa un profond soupir de contentement.

— Tout à l'heure, quand nous étions sur la falaise et que nous regardions le gouffre, j'avais peur. J'ai toujours été lâche. Mais c'était si beau, si incroyablement beau que je n'ai pas pu détourner les yeux.

— Lâche ? répéta Dillon d'un ton sceptique.

Il s'assit sur le sol moelleux et l'incita à en faire autant. Elle posa la tête dans le creux de son épaule.

— Je dirais plutôt que vous avez été remarquablement intrépide, corrigea-t-il. Vous n'avez même pas paniqué pendant l'orage, hier.

— Non, mais je ne suis pas passée loin de la panique.

Il se mit à rire.

— Vous n'avez pas bronché non plus dans l'avion, quand nous sommes venus d'Oahu.

— Parce que j'étais en colère.

Elle rejeta en arrière ses cheveux mouillés, les yeux rivés sur le rideau de pluie translucide.

— A cause de vous, continua-t-elle. Vous étiez vraiment désagréable.

— Oui, il m'arrive souvent d'être désagréable, reconnut-il avec un sourire faussement innocent.

— Je crois que le plus souvent, vous êtes agréable. Mais je parierais que vous n'aimez pas qu'on vous colle cette étiquette.

— C'est une opinion vraiment bizarre de la part de quelqu'un qui me connaît depuis peu.

Pour toute réponse, elle haussa les épaules. Dillon fronça les sourcils.

— Cette école où vous travaillez, dit-il. Comment est-elle ?

— Comme une autre. Une école de filles, avec des règlements comme partout ailleurs.

— C'est un pensionnat ? demanda-t-il.

Elle haussa de nouveau les épaules.

— Oui… Dillon, je n'ai pas envie de parler de cela ici. Je serai obligée d'y penser bien assez tôt. Pour l'instant, je préfère croire que ma place est dans ce lieu merveilleux.

Faisant une pause, elle releva la tête et s'exclama en français :

— Oh, regardez ! Un arc-en-ciel !

— Je crois avoir compris de quoi vous parlez !

Il examina le ciel, puis il reporta les yeux sur son visage radieux.

— Il y en a deux. Comment est-ce possible ? demanda-t-elle.

Ils s'étiraient, très haut, d'une cime de la montagne à une autre, en deux demi-cercles parfaits. Tandis que le soleil faisait étinceler les gouttes de pluie, les couleurs augmentèrent en intensité, transformant le ciel en une palette d'une richesse infinie.

— Les arcs-en-ciel doubles sont courants ici, expliqua Dillon.

Il s'appuya au tronc du palmier.

— En soufflant contre la montagne, les vents créent une frontière pluvieuse. Il pleut d'un côté de l'île pendant que le soleil brille de l'autre. Le soleil frappe les gouttes d'eau, et…

— Non, ne me dites rien, coupa Laine en agitant la main. Cela va enlever toute la magie.

Elle sourit. Les choses précieuses devraient rester inexpliquées, songea-t-elle.

— Je ne veux pas le savoir !

Elle voulait accueillir ce merveilleux spectacle comme elle accueillait son amour pour Dillon, même s'il était voué à l'échec, sans se poser de questions, sans avoir recours à la logique.

— Je veux juste me régaler les yeux.

Renversant la tête en arrière, elle lui offrit sa bouche.

— Voulez-vous m'embrasser ?

Plongeant un regard pénétrant dans le sien, il lui caressa doucement la joue. En silence, il explora du bout des doigts l'architecture parfaite de son visage. Et bientôt, sa bouche rejoignit ses doigts. Laine ferma les yeux. Elle n'avait jamais rien connu d'aussi doux que les lèvres de Dillon sur sa peau. Toujours avec une grande douceur, il lui effleura la bouche dans un baiser léger comme un murmure, qui mit tous ses sens en alerte. Il savourait lentement le satin de sa peau. Ses lèvres se promenèrent sur son cou, et il lui mordilla le lobe de l'oreille.

Quand sa langue lui taquina les lèvres, elle les entrouvrit dans un soupir béat. Son cœur tambourinait dans ses oreilles. Dillon l'emporta aux limites de la raison avec des caresses tendres mais sensuelles. Le désir commençait à la submerger. Elle se serra contre lui, remuant contre son corps dans un mouvement plein de tentation.

Brusquement, Dillon poussa un juron et la repoussa. Elle garda les bras autour de son cou, les doigts dans ses cheveux bruns et bouclés. Il posa sur elle un regard affolé. Laine avait les yeux embrumés de passion. Apparemment, elle ne se rendait pas compte de ses pouvoirs de séduction. Elle poussa un petit soupir et l'embrassa sur les deux joues.

— J'ai envie de vous, murmura-t-il d'une voix rauque.

Il la bâillonna de ses lèvres avant qu'elle puisse répondre. Laine s'arqua contre lui comme un jeune saule dans le vent.

Dillon fit courir ses mains sur son corps, dans un besoin désespéré de connaître la moindre surface, de découvrir tous ses secrets. Laine renversa la tête en arrière avec un léger râle de plaisir. Elle se sentait fondre sous les doigts de Dillon, mais en même temps, un volcan s'éveillait en elle, exigeant, menaçant de déborder. Elle frémissait sous ses mains. Les mains de Dillon lui apprenaient ce qu'elle n'avait encore jamais connu. Tremblante, elle chuchota son nom, à la fois exaltée et effrayée par les sensations inconnues qu'il provoquait en elle.

Dillon écarta ses lèvres et les posa sur ses cheveux. Elle sentait son cœur battre aussi violemment que le sien. Avec un profond soupir, il finit par la repousser doucement. Il se leva et lui tourna le dos en fourrant les mains dans ses poches.

— Il ne pleut plus, dit-il d'une voix à peine audible.

Il prit une profonde inspiration avant de tourner la tête vers elle.

— Nous ferions mieux d'y aller.

Il avait une expression insondable. Désespérée, Laine chercha vainement les mots susceptibles de combler le fossé qui s'était soudain creusé entre eux. Elle plongea les yeux dans les siens, posant silencieusement des questions que ses lèvres n'arrivaient pas à prononcer. Dillon ouvrit la bouche pour parler, mais il la referma aussitôt et se pencha vers elle, la main tendue pour l'aider à se lever. Elle ne put soutenir son regard. Dillon lui prit le menton entre deux doigts et traça le contour de ses lèvres, encore gonflées de ses baisers. Puis il secoua la tête. Sans un mot, il l'embrassa tendrement et l'entraîna sur le sentier.

Chapitre 9

Pendant le trajet du retour, Dillon parla à bâtons rompus, comme si son attitude passionnée ne pouvait s'exprimer qu'à proximité d'un lac protégé d'un rideau de pluie. Faisant de son mieux pour paraître aussi détendue que lui, Laine soupira intérieurement. Visiblement, les hommes se débrouillaient mieux avec les exigences du corps que les femmes avec celles du cœur. Dillon la désirait, c'était évident. Il n'avait pas besoin de le lui dire pour qu'elle le sache. Elle sentit ses joues s'empourprer en se rappelant sa propre réaction. Elle détourna les yeux vers sa vitre. Le paysage défilait, d'une beauté toujours inégalée. Et si sa vue continuait de provoquer en elle une joie qu'elle n'aurait jamais crue possible, elle ne chassait pas de ses pensées la question qui lui tournait impitoyablement dans la tête : qu'allait-elle faire ?

Elle devait quitter Kauai dans une semaine. Non seulement elle allait quitter le père qui lui avait manqué pendant toute sa jeunesse, mais aussi l'homme qui avait fait battre son cœur comme jamais auparavant. Peut-être était-elle vouée à un amour impossible ? Miri lui avait conseillé de lutter avec ses armes de femme, mais par où commencer ? Elle fronça les sourcils. Peut-être par l'honnêteté, songea-t-elle. Elle devrait trouver le temps et le lieu adéquats pour parler de ses sentiments à Dillon. S'il savait qu'elle n'attendait rien d'autre de lui que son affection, ce serait déjà une bonne base. Elle pourrait trouver le moyen de rester un peu plus longtemps. Prendre un travail. Avec le temps, elle commencerait peut-être à compter pour lui un peu plus que physiquement.

Légèrement rassérénée par cette idée, elle s'offrit le plaisir de contempler tranquillement le paysage.

— Dillon, est-ce que ce sont des bambous ?

Ils longeaient un champ de tiges très hautes aux touffes cylindriques et dorées.

— De la canne à sucre, répondit-il sans regarder.

— C'est une vraie jungle. Je ne savais pas que les cannes à sucre étaient si hautes.

— En général, elles font un peu plus de cinq mètres, mais ici, elles ne poussent pas aussi vite que dans la jungle. Pour atteindre leur hauteur maximum, il faut attendre entre un an et demi et deux ans.

— Ce champ est immense !

Laine tourna la tête vers lui. L'esprit ailleurs, elle repoussa des boucles qui lui chatouillaient les joues.

— Je suppose que c'est une plantation, bien que j'aie du mal à concevoir qu'une seule personne puisse posséder tant de terres. Il doit y avoir une main-d'œuvre abondante pour les récoltes.

— Mmm…

Dillon sortit de la route principale pour emprunter une petite route à deux voies.

— Il faut dix machines pour couper les cannes, expliqua-t-il. Les couper à la main prend trop de temps. Et les ouvriers sont payés une misère.

— L'avez-vous déjà fait ? interrogea-t-elle.

Dillon eut un bref sourire.

— Une ou deux fois. Ce qui explique pourquoi je préfère être aux commandes d'un avion.

Laine regarda autour d'eux l'infinité des cultures. Aurait-elle le temps de voir les machines à l'œuvre avant de repartir ? Au détour d'un virage, la vue détourna ses pensées. Une grande maison blanche se dressait au loin, avec ses gracieuses lignes coloniales et ses fines colonnes. Des pelouses d'un vert profond l'entouraient. Les balustrades des balcons étaient habillées de plantes grimpantes aux fleurs orange et rouges ; les fenêtres, hautes et étroites, étaient protégées du soleil par des persiennes gris perle. Cette maison avait la patine du temps, et paraissait particulièrement accueillante. Elle faisait penser à une maison de planteur en Louisiane.

— Elle est superbe. Et on doit avoir une vue imprenable des balcons.

Dillon arrêta encore une fois la voiture.

— Croyez-vous que nous puissions aller la voir de plus près ? s'enquit-elle.

Il hocha vaguement la tête.

— Bien sûr, elle est à moi, dit-il en se penchant pour lui ouvrir la portière.

Il se glissa dehors et s'appuya contre le capot. Laine resta muette de stupeur.

— Avez-vous l'intention de rester assise bouche bée ou de venir avec moi ? demanda-t-il.

Secouant sa torpeur, Laine s'empressa de le rejoindre. Il tourna vers elle un regard malicieux.

— Je suppose que vous vous attendiez à trouver une hutte en paille et un hamac ?

— Eh bien, non, pas du tout… je ne sais pas très bien à quoi je m'attendais, pour tout vous dire.

Faisant un ample geste du bras, elle regarda autour d'elle. Une sourde inquiétude commençait à monter en elle.

— Tous ces champs de canne à sucre, ils sont… à vous ?

— Ils vont avec la maison.

Laine hocha lentement la tête. Sans rien dire, elle suivit Dillon, et ils se retrouvèrent bientôt devant une grande porte en acajou. A l'intérieur, un escalier de bois dominait le hall. Laine aperçut des aquarelles accrochées aux murs, et des sculptures tandis qu'elle marchait dans les pas de Dillon. Il la fit entrer dans un salon.

Les murs étaient d'une riche couleur crème qui mettait en valeur les vieux meubles de bois foncé. Un tapis aux délicats points de broderie recouvrait en partie le plancher ciré. Des auvents de toile étaient relevés, dégageant la vue sur une pelouse verdoyante.

Dillon lui indiqua une chaise.

— Asseyez-vous, je vais chercher des boissons fraîches.

Laine hocha encore la tête. Ces quelques secondes de solitude allaient peut-être lui permettre de remettre de l'ordre dans ses pensées. Elle entendit les pas de Dillon s'éloigner de l'autre côté du hall.

Assise sur une chaise à haut dossier, elle parcourut lentement la pièce du regard. L'ambiance était cossue. Elle n'aurait jamais imaginé Dillon dans ce genre d'environnement. Mais surtout, elle n'aurait jamais imaginé que Dillon était si riche. Et cette découverte était écrasante. Elle s'avérait être un obstacle insurmontable. Dillon ne la croirait pas quand elle lui jurerait que son amour était dépourvu de tout intérêt terre à terre. Tel qu'elle commençait à le connaître, il penserait qu'elle s'intéressait surtout à ses biens. Poussant un petit gémissement, elle ferma les yeux. Puis elle se leva et se dirigea vers la fenêtre, essayant bravement d'accepter l'effondrement de ses espoirs.

Avec un sourire amer, elle posa le front contre la vitre fraîche. Que ne pouvait-elle revenir quelques jours en arrière ! Si elle avait su ce qu'elle rencontrerait en venant ici, elle aurait annulé son billet d'avion, tout simplement. Les pas de Dillon se firent entendre. Elle redressa la tête et se tourna vers lui, un pâle sourire aux lèvres.

— Dillon, votre maison est absolument superbe.

Après avoir pris le grand verre qu'il lui offrait, elle retourna à sa chaise.

— Elle n'est pas mal, reconnut-il.

S'asseyant en face d'elle, il arqua légèrement un sourcil. Pourquoi Laine prenait-elle ce ton officiel ?

— L'avez-vous construite vous-même ? s'enquit-elle.

— Non, c'est mon grand-père.

Avec sa nonchalance habituelle, il croisa les jambes, sans cesser de l'observer.

— Il était marin. Un jour, il a compris qu'après la mer, c'était Kauai qu'il aimait le plus.

— Cette maison a donc abrité plusieurs générations.

Laine sirota son verre.

— Mais vous, vous avez trouvé les avions plus tentants que la mer ou les champs de canne à sucre, continua-t-elle du même ton distant.

— Les champs ont leur utilité.

Il fronça les sourcils. Décidément, Laine avait décidé de se croire en visite chez le président de la République.

— Ils fournissent un rendement intéressant, et du travail pour les insulaires. C'est une culture profitable, qui n'occupe qu'une partie de mon temps.

Il posa son verre sur la table.

— Mon père est mort quelques mois avant que je rencontre Cap'taine. Lui et moi traversions une mauvaise période, mais moi, j'étais plein de colère, alors que lui…

Faisant une pause, il haussa les épaules.

— Il était comme il a toujours été. Nous nous entendions bien. Il avait un petit avion, avec lequel il emmenait les touristes sur l'île. Je n'arrivais pas à apprendre assez vite le pilotage, mais Cap'taine avait besoin d'enseigner. Et moi, j'avais besoin de trouver un équilibre.

Quelques années plus tard, nous avons décidé de créer cet aéroport.

Laine baissa les yeux sur son verre.

— C'est avec l'argent de la canne à sucre que vous avez construit l'aéroport ? s'enquit-elle d'une petite voix.

— Comme je vous l'ai dit, la canne a son utilité.

— Et la baie où nous avons nagé ?

Prise d'une brusque intuition, elle le regarda dans les yeux.

— Elle vous appartient aussi ?

— Oui, répondit-il sans changer d'expression.

— Et la maison de mon père ?

Laine avala la grosse boule qui s'était formée dans sa gorge.

— Fait-elle également partie de votre propriété ?

Pour la première fois depuis le début de cette conversation, Dillon montra un signe d'agacement. Il répondit d'une voix neutre :

— Cap'taine avait eu un coup de cœur pour cette bande de terre, alors il l'a achetée.

— A qui ? A vous ?

— Oui, à moi. Est-ce que c'est un problème ?

— Non… Mais je commence à y voir plus clair. Beaucoup plus clair.

Elle posa sa boisson et croisa les mains sur ses genoux.

— Il se trouve que vous êtes davantage le fils de mon père que je ne serai jamais sa fille.

— Laine…

Poussant un léger soupir, il se leva et se mit à arpenter nerveusement la pièce.

— Cap'taine et moi, nous nous comprenons. Cela fait bientôt quinze ans que nous nous connaissons, et dix ans qu'il fait partie de ma vie.

— Je ne vous demande pas de vous justifier, Dillon. Je suis désolée si j'ai pu vous laisser croire que c'était ce que je voulais.

Faisant un violent effort pour garder une voix calme, elle se leva.

— Quand je retournerai en France la semaine prochaine, ce sera bon de savoir que mon père peut compter sur vous.

— La semaine prochaine ?

Dillon se leva.

— Vous avez l'intention de partir la semaine prochaine ?

— Oui, répondit-elle simplement.

Ce n'était pas le moment de penser à quelle vitesse ces sept jours allaient passer.

— Nous étions d'accord pour que je reste deux semaines. Ma vie est là-bas. Il sera temps que je la reprenne.

— Vous êtes triste parce que votre père n'a pas réagi comme vous l'espériez par rapport à vous.

Surprise par la gentillesse de ses paroles et la douceur de sa voix, elle leva les yeux vers lui. Le mince fil qui la retenait de s'effondrer menaçait de rompre. Elle fit un violent effort pour rester calme et soutenir son regard.

— J'ai changé d'avis… par rapport à beaucoup de choses, dit-elle doucement.

Comme il ouvrait la bouche, elle secoua la tête.

— Je vous en prie, Dillon… Je préférerais ne pas en parler. Cela ne fait qu'ajouter aux difficultés…

— Laine.

Il posa les mains sur ses épaules pour l'empêcher de se détourner.

— Nous avons beaucoup de sujets à aborder, vous et moi, qu'ils soient difficiles ou non. Vous ne pouvez pas continuer à vous refermer sur vous comme vous le faites. Je voudrais…

La sonnette de la porte lui coupa la parole. Poussant un juron, il laissa retomber ses mains et se dirigea à grands pas vers l'entrée.

Une voix légère, musicale, s'éleva. Quand Orchidée King entra dans le salon au bras de Dillon, Laine lui adressa un sourire figé. Elle garda les yeux rivés sur eux. C'était frappant de voir à quel point ils allaient bien ensemble. Ils formaient un couple parfait. La beauté exotique d'Orchidée répondait à l'aspect un peu rude de Dillon, et ses formes pulpeuses étaient encore plus évidentes comparées à la minceur de son partenaire. Ses cheveux d'ébène cascadaient jusqu'à sa taille fine sur son dos nu. Laine poussa un soupir silencieux. Face à Orchidée, elle se sentait maladroite et provinciale.

— Bonjour, mademoiselle Simmons !

La jeune fille resserra sa main sur le bras de Dillon dans un geste possessif.

— C'est bon de vous revoir déjà ! dit-elle avec un sourire forcé.

— Bonjour, mademoiselle King, dit Laine d'un ton plus sec qu'elle n'aurait souhaité.

Horripilée par le sentiment d'insécurité qu'elle éprouvait, elle plongea un regard froid dans les yeux de la jeune Hawaïenne.

— Vous avez pu visiter l'île ? demanda celle-ci.

Ce fut Dillon qui répondit.

— Je lui ai fait faire un tour ce matin.

Les yeux d'Orchidée flamboyèrent.

— Vous n'auriez pas pu avoir un meilleur guide !

Se tournant vers Dillon, elle lui adressa son sourire le plus sensuel.

— Je suis si heureuse de te trouver chez toi. Je voulais m'assurer que tu viendrais à la fête, demain soir. Sans toi, elle serait gâchée.

— Je viendrai, promit Dillon.

Un léger sourire retroussa le coin de ses lèvres.

— Tu danseras ? interrogea-t-il.

— Bien sûr ! Tommy y compte bien, répondit Orchidée d'une voix ronronnante.

Tendue comme un arc, Laine les regardait tour à tour. Orchidée lui faisait de plus en plus penser à un jeune félin.

Le sourire de Dillon s'élargit. Il leva les yeux par-dessus la tête d'Orchidée pour rencontrer les siens.

— Tommy est le neveu de Miri, expliqua-t-il. J'espère que vous viendrez. Je suis sûr que cela vous plaira.

— Oh, oui, renchérit Orchidée avec un sourire forcé. Aucun touriste ne doit quitter l'île sans avoir participé à cette fête. Avez-vous l'intention de voir les autres îles ?

— Je ne pense pas en avoir le temps. Je suis désolée, mais je n'ai pas vraiment vécu en touriste. Le but de ma visite était de revoir mon père.

D'un geste impatient, Dillon se dégagea du bras d'Orchidée.

— Je dois voir le contremaître, annonça-t-il. Peux-tu tenir compagnie à Laine quelques minutes ?

— Certainement.

Orchidée rejeta une mèche de cheveux derrière ses épaules.

— Comment se passent les réparations ? s'enquit-elle.

— Très bien.

Inclinant la tête en direction de Laine, il sortit de la pièce.

— Mademoiselle Simmons, faites comme chez vous !

Assumant son rôle d'hôtesse, Orchidée fit un geste gracieux de la main.

— Voulez-vous une boisson fraîche ?

Horripilée par cette situation, Laine fit un effort pour masquer sa mauvaise humeur.

— Non, merci. Je n'ai pas fini le verre que Dillon m'a offert.

— Vous avez passé beaucoup de temps en sa compagnie, commenta Orchidée en s'asseyant.

Elle croisa ses longues jambes fines. Elle faisait penser à une publicité vantant les attractions fascinantes de Kauai.

— Surtout pour quelqu'un qui est venu rendre visite à son père, continua-t-elle.

— En effet. Dillon m'a généreusement accordé une grande partie de son temps, répliqua Laine d'un ton glacial.

— Oh, Dillon est un homme très généreux !

Elle eut un sourire indulgent et possessif.

— Il est très facile de mal interpréter sa générosité tant qu'on ne le connaît pas très bien. Il peut être si charmant.

— Charmant ?

Laine la regarda d'un air sceptique.

— Comme c'est curieux ! Charmant n'est vraiment pas l'adjectif que j'emploierais pour le décrire.

Faisant une pause, elle haussa imperceptiblement les épaules.

— Mais il est vrai que vous le connaissez beaucoup mieux que moi.

Orchidée joignit les mains devant son visage et la regarda par-dessus.

— Mademoiselle Simmons, nous pourrions peut-être nous dispenser de cette conversation polie pendant que nous sommes seules.

Laine hocha lentement la tête.

— Comme vous voudrez, mademoiselle King.

— J'ai l'intention d'épouser Dillon.

— C'est un projet formidable, rétorqua Laine, le cœur serré. Je suppose que Dillon est au courant ?

— Il sait que je le veux.

Orchidée ne cacha pas son irritation.

— Je n'apprécie pas que vous ayez passé tout ce temps avec lui.

— Quel dommage, mademoiselle King !

Prenant son verre, Laine sirota sa boisson.

— Mais à mon avis, ce n'est pas avec moi qu'il faut discuter. Je pense qu'il serait plus productif d'en parler avec Dillon.

— Je ne crois pas que ce soit nécessaire.

Orchidée lui adressa un sourire faussement amical, qui révéla ses petites dents blanches.

— Je suis sûre que nous pouvons mettre les choses au point toutes les deux. Ne trouvez-vous pas que c'était un peu ridicule de faire croire à Dillon que vous aviez envie de piloter un avion ?

Laine faillit bondir de sa chaise, mais elle réussit à se contenir. Pourquoi Dillon lui en avait-il parlé ?

— Ridicule ? répéta-t-elle d'une voix coupante.

Orchidée eut un geste d'impatience.

— Dillon est attiré par vous, sans doute parce que vous êtes différente du type de femmes qui l'attire habituellement. Mais le genre lait et miel ne le passionnera pas longtemps.

Sa voix musicale se durcit.

— La sophistication n'entretient pas la passion chez un homme, et Dillon est vraiment un homme.

— Oui, c'est ce que j'ai cru comprendre, ironisa Laine.

— Je vous préviens une bonne fois pour toutes ! Gardez vos distances. Je peux vous rendre la situation très pénible.

— Je n'en doute pas.

Laine haussa encore les épaules.

— Mais les situations pénibles, je connais.

— Je vous préviens, Dillon peut être très vindicatif quand il croit qu'on s'est moqué de lui. Vous risquez de perdre beaucoup et de repartir encore plus pauvre que lorsque vous êtes arrivée.

— Arrêtez, ça suffit ! hurla Laine en français.

Se levant, elle fit un geste méprisant de la main.

— Je ne suis venue que pour voir mon père, pour rien d'autre ! Je trouve que cette scène est ridicule ! Dillon n'en vaut pas la peine !

Orchidée s'enfonça sur son siège. Visiblement, elle était ravie de la voir sortir ainsi de ses gonds.

— Vous feriez mieux de partir. Je n'ai pas envie de vous supporter plus longtemps, dit-elle.

— Me supporter ?

Laine fit une pause. Elle tremblait de rage.

— Personne, mademoiselle King, ne m'a jamais parlé ainsi ! Mais je ne vois pas pourquoi vous vous inquiétez à cause de moi. Dans quelques jours, je serai à des milliers de kilomètres d'ici. Votre manque de confiance en vous est aussi pitoyable que vos menaces !

Visiblement folle de rage, Orchidée se leva à son tour, les poings serrés.

— Qu'attendez-vous de moi ? interrogea Laine. Voulez-vous que je vous garantisse que je ne vous mettrai pas des bâtons dans les roues ? Très bien. Je vous en donne ma parole, et avec plaisir ! Dillon est à vous.

— Quelle générosité !

Laine fit volte-face. Dillon était là, adossé à la porte. Il avait les bras croisés, les yeux très sombres.

— Oh, Dillon, tu as été rapide ! dit Orchidée d'une voix faible.

— Apparemment, pas assez !

Il avait les yeux rivés à ceux de Laine.

— Quel est le problème ?

Reprenant ses esprits, Orchidée se glissa vers lui.

— Une petite discussion entre femmes. Nous faisions connaissance, Laine et moi.

— Laine, que se passe-t-il ?

— Rien d'important. Si c'est possible, j'aimerais rentrer immédiatement, répondit-elle.

Sans attendre une réponse, elle ramassa son sac et se dirigea vers la porte d'entrée.

Dillon l'arrêta en la prenant par le bras.

— Je vous ai posé une question !

— Et je vous ai donné la seule réponse que j'aie envie de vous donner.

Elle se libéra et lui fit face.

— Je ne veux pas subir encore votre interrogatoire. Vous n'avez aucune raison de me harceler ainsi. Je ne suis rien pour vous ! Vous n'avez pas le droit de me critiquer comme vous l'avez fait depuis la première minute.

Sa colère était mêlée de désespoir.

— Et je ne vous autorise pas non plus à m'embrasser juste parce que cela vous amuse !

Elle s'élança et claqua la porte derrière elle.

Chapitre 10

Dès qu'ils arrivèrent chez son père, Laine alla s'enfermer dans sa chambre. Ravalant les larmes qui lui brouillaient la vue, elle fouilla dans son sac. Elle ne voulait pas s'appesantir sur la scène qui avait eu lieu chez Dillon, ni sur le silence qui avait régné dans la voiture pendant qu'ils retournaient chez son père. Apparemment, Dillon et elle n'arrivaient pas à s'entendre plus que quelques heures consécutives. Il était grand temps qu'elle s'en aille.

Commençant à préparer son retour en France, elle fit ses comptes et fronça les sourcils. Elle avait tout juste de quoi se payer un billet d'avion. Ensuite, elle n'aurait plus un centime. Elle soupira. Ses économies avaient été sérieusement entamées quand elle avait remboursé les dettes de sa mère, et le billet pour venir ici avait fait le reste. Mais elle ne pouvait tout de même pas retourner en France sans un sou en poche. Que ferait-elle en cas de problème ?

Elle se passa une main lasse sur le front.

Pourquoi n'avait-elle pas réfléchi avant de se lancer dans cette expédition ? Maintenant, elle se trouvait dans une situation impossible.

Elle se frotta les tempes du bout des doigts pour chasser une migraine naissante. Elle devait réfléchir sérieusement. Il était hors de question qu'elle demande à son père de lui prêter de l'argent. Elle n'allait pas non plus téléphoner à des amies pour se faire dépanner. Son amour-propre l'en empêchait. Elle regarda le petit paquet de billets de banque, qui semblait la narguer. Elle aurait beau les contempler, ils ne proliféreraient pas tout seuls. C'est elle qui devait trouver le moyen de les multiplier.

Elle sortit une petite boîte de la penderie et en examina le contenu pendant quelques secondes. C'était un médaillon en or, que son père avait offert à Vanessa. Puis sa mère le lui avait transmis pour son seizième anniversaire. Laine le caressa du bout du doigt. Elle avait été si heureuse de recevoir un cadeau de son père, même indirectement ! Elle l'avait porté chaque jour, jusqu'au moment où elle avait pris l'avion pour venir ici. Craignant qu'il cause du chagrin à son père, elle l'avait soigneusement déposé dans une boîte qu'elle avait cachée, avec l'espoir que les souvenirs douloureux seraient enfouis avec lui. C'était le seul objet de valeur qu'elle possédait, et maintenant, elle était obligée de le vendre.

Brusquement, sa porte s'ouvrit en grand. Laine sursauta et cacha la boîte dans son dos. Miri entra dans un tourbillon de tissus colorés. Les sourcils arqués, elle observa ses joues rouges.

— Vous avez cassé quelque chose ? interrogea-t-elle.

— Non.

— Alors pourquoi prenez-vous cet air coupable ?

Elle étala un tissu soyeux sur lit.

— C'est pour vous ! Vous le mettrez pour la fête !

— Oh !

Laine contempla la ravissante étoffe bleue et blanche. Elle sentait déjà son contact sur sa peau.

— Il est magnifique. Mais…

Elle leva un regard plein de désir et de regret sur Miri.

—… Mais je ne peux pas le prendre.

— Vous n'aimez pas mon cadeau ? demanda Miri d'un ton à la fois impérieux et déçu.

— Oh, ce n'est pas ça !

Désolée de l'avoir offensée, Laine chercha désespérément une explication.

— Je le trouve vraiment superbe. C'est seulement que…

— Vous feriez mieux d'apprendre à dire merci et à ne pas discuter. Cela vous ira très bien !

Miri accompagna ses paroles d'un petit hochement de tête satisfait.

— Demain, je vous montrerai comment il faut le mettre.

N'y tenant plus, Laine s'approcha du lit et passa sa main sur le sarong. Avec un soupir, elle capitula.

— Merci, Miri, vous êtes vraiment adorable.

Miri lui caressa brièvement les cheveux.

— Vous êtes une jolie fille. Mais vous devriez sourire plus souvent. Quand vous souriez, toute votre tristesse s'envole.

Laine hocha la tête. La petite boîte pesait comme une pierre au creux de sa main. Elle la ramena devant elle et l'ouvrit.

— Miri, pourriez-vous me dire où je pourrais vendre ce bijou ?

Miri étudia longuement le médaillon, puis elle leva ses yeux aussi noirs et brillants que le jais. Elle fronçait si fort les sourcils qu'une ligne verticale lui partageait le front en deux.

— Pourquoi voulez-vous vendre un si joli petit bijou ? Il ne vous plaît pas ?

— Oh si, je l'aime beaucoup.

Mal à l'aise sous le regard scrutateur de Miri, elle haussa légèrement les épaules.

— Mais j'ai besoin d'argent.

— D'argent ? Pour quoi faire ?

— Pour mon billet d'avion…

— Vous vous ennuyez à Kauai ? demanda-t-elle d'un air indigné.

Laine ne put s'empêcher de sourire. Elle secoua la tête.

— Kauai est une île de rêve. J'adorerais rester ici toute ma vie. Mais je dois reprendre mon travail.

Miri s'assit et croisa les bras.

— Qu'est-ce que c'est, votre travail ?

— Je suis professeur.

Laine s'assit au bord du lit et referma la boîte.

— Vous n'êtes pas payée ? dit Miri en faisant une petite moue réprobatrice. Qu'avez-vous fait de votre argent ?

Laine rougit jusqu'aux oreilles. Elle avait l'impression d'être une gamine venant de dépenser tout son argent de poche en bonbons, prise en flagrant délit.

— Il y avait… des dettes et j'ai…

— Vous avez des dettes ?

— Eh bien, non, pas moi…

Faisant une pause, elle rentra les épaules. C'était accablant. Comment expliquer tout cela à Miri ? Cependant, Miri semblait bien décidée à s'incruster dans la chambre tant qu'elle n'aurait pas une réponse satisfaisante. Laine hocha la tête. Lentement, elle se mit à parler de la montagne de dettes qu'elle avait dû affronter à la mort de sa mère, de la nécessité de liquider des actions, des ponctions continuelles dans ses propres ressources. En se confiant à Miri, qui l'écouta sans l'interrompre, elle sentit fondre son amertume.

— Ensuite, quand j'ai trouvé l'adresse de mon père dans les papiers de ma mère, j'ai pris le peu d'argent qui me restait et je suis venue ici. J'ai bien peur d'avoir oublié de réfléchir. Et pour repartir…

Elle haussa encore les épaules. Miri hocha pensivement la tête.

— Pourquoi n'avez-vous rien dit à James Simmons ? Il ne laisserait pas sa fille vendre ses bijoux. C'est un homme bon, il n'aimerait pas savoir que vous comptez le moindre centime dans un pays que vous ne connaissez pas.

— Il ne me doit rien.

— C'est votre père ! s'exclama Miri en redressant le menton et en la regardant droit dans les yeux.

— Oui, mais il n'est pas responsable de la situation. Il risque de croire…

Elle secoua la tête.

— Non, je ne veux pas qu'il le sache, continua-t-elle. C'est très important pour moi qu'il ne soit pas au courant. Promettez-moi de ne rien lui dire.

Miri fronça les sourcils.

— Ce qui est sûr, c'est que vous êtes bougrement entêtée ! marmonna-t-elle.

Elle la regarda d'un air mécontent. Laine soutint son regard.

— Très bien ! finit par dire Miri en poussant un gros soupir. Faites ce que vous avez à faire. Demain, vous rencontrerez Tommy, mon neveu. Demandez-lui de venir examiner votre bijou. Il est joaillier. Il vous en donnera un bon prix.

— Merci, Miri.

Laine sourit. Une partie de son fardeau s'était envolée.

Miri se leva dans un bruissement soyeux.

— Vous avez passé une bonne journée avec Dillon ?

— Il m'a montré sa maison, répondit Laine évasivement. Elle est très impressionnante.

— Oui, c'est une belle maison, admit Miri.

Elle chassa un microscopique grain de poussière du dossier de la chaise.

— Mon cousin fait la cuisine chez lui. Mais pas aussi bien que moi !

Laine sourit.

— Mlle King est passée pendant que nous étions là-bas, dit-elle en se forçant à prendre un ton indifférent.

Miri releva les sourcils.

— Mmm…

Elle lissa son sarong.

— Nous avons eu une discussion très désagréable pendant que Dillon nous avait laissées seules. Et quand il est revenu…

Laine fit une pause et fronça les sourcils.

— Je lui ai crié après !

Miri éclata de rire. Pendant plusieurs secondes, son hilarité emplit la pièce.

— Alors comme ça, vous êtes capable de crier, Petit Osselet ? J'aurais aimé entendre ça !

— Je ne crois pas que Dillon ait trouvé cela très amusant, dit Laine avec une moue réprobatrice.

Mais elle finit par sourire malgré elle.

— Oh, celui-là ! fit Miri.

Retrouvant son sérieux, elle s'essuya les yeux et secoua la tête.

— Il est trop habitué à faire ce qu'il veut avec les femmes. Il est trop séduisant, et il a trop d'argent ! Il faut reconnaître que c'est un patron honnête, et il n'hésite pas à travailler dans les champs quand on a besoin de lui. Il a beaucoup de diplômes, et beaucoup de neurones, dit-elle en se tapotant la tempe du bout du doigt.

Mais elle ne paraissait pas impressionnée.

— Si vous l'aviez vu quand il était petit. C'était un sale garnement. Il en a fait, des bêtises !

Elle ne put ravaler un sourire.

— Il est resté un sale garnement. Ce qui

ne l'empêche pas d'être très intelligent, et très important, dit-elle avec un ample geste des deux bras.

Sa voix avait une note critique, toute maternelle.

— En tout cas, il connaît mille fois moins les femmes que les avions.

Elle lui tapota la tête et pointa un doigt vers le tissu de soie.

— Demain, vous allez porter cela et mettre une fleur dans vos cheveux. Ce sera la pleine lune.

C'était une nuit de velours et d'argent. De la fenêtre de sa chambre, Laine contemplait les reflets étincelants de la mer qui dansaient sous la lune. Elle savoura longuement la douceur de la brise caressant ses épaules nues. La nuit était idéale pour faire la fête sous les étoiles.

Elle n'avait pas revu Dillon depuis la veille. Il était rentré tard, le soir, bien après qu'elle se fut retirée dans sa chambre. Et quand elle s'était réveillée, il était déjà reparti. Laine soupira. Elle avait pris une décision et comptait bien s'y tenir. Elle ne laisserait pas leur dernière rencontre gâcher la beauté de cette soirée. Si elle devait passer encore quelques jours près de lui, elle ferait tout ce qui serait en son pouvoir pour qu'ils soient agréables.

S'éloignant de la fenêtre, elle jeta un dernier coup d'œil dans le miroir. Ce n'était pas si mal. Le bleu brillant du sarong s'harmonisait avec ses yeux, formant un camaïeu très réussi. Elle avait pris un peu de hâle depuis son arrivée, comme en témoignaient ses épaules et ses bras nus.

Elle donna un dernier coup de brosse à ses cheveux et sortit de la chambre. Elle fit aussitôt une pause. Dillon parlait au bas de l'escalier. Laine frémit. Elle avait l'impression que des années s'étaient écoulées depuis la dernière fois qu'elle avait entendu sa voix.

— Nous commencerons la récolte le mois prochain, mais si je connais le programme des réunions à l'avance, je pourrai…

La voyant arriver, il se tut et se servit un verre. Puis il leva la tête sur elle et l'observa. Laine sentit son cœur s'emballer. Bientôt, les yeux de Dillon rencontrèrent les siens.

James était en train de bourrer sa pipe. Il la regarda intensément.

— Eh bien, Laine ! dit-il d'un ton admiratif.

Elle sourit. A sa grande surprise, son père se leva et traversa le salon pour lui prendre les mains.

— Tu es magnifique !

— Tu trouves ? Je ne suis pas habituée à ce genre de vêtement.

— Ça te va merveilleusement bien. Justement,

je parlais de toi. Ma fille est une très belle femme, qu'en penses-tu, Dillon ? demanda-t-il sans la quitter des yeux.

Ses yeux souriaient.

— Oui, reconnut Dillon. Très belle.

— Je suis heureuse qu'elle soit là.

Il pressa ses petits doigts dans ses mains.

— Elle m'a manqué.

Il se pencha pour l'embrasser sur la joue, puis il se tourna vers Dillon.

— Allez-y, vous deux. Je vais voir si Miri est prête, ce qui m'étonnerait fort. Nous serons un peu en retard.

Le regardant s'éloigner, Laine leva la main vers sa joue. C'était incroyable qu'un geste si simple et si naturel venant de son père la bouleverse à ce point.

— Vous êtes prête ? interrogea Dillon.

Incapable de prononcer un mot, elle fit un petit signe affirmatif de la tête. La main de Dillon se posa sur son épaule.

— Ce n'est pas facile de combler un vide de quinze ans, mais c'est un bon début, déclara-t-il doucement.

Surprise, Laine ravala les larmes de joie qui lui montaient aux yeux.

— Merci. C'est très important pour moi, ce que vous venez de dire. Dillon, hier, j'ai…

— Ne nous préoccupons pas d'hier pour l'instant.

Son sourire la priait de lui pardonner, tout en acceptant ses excuses. Elle le lui rendit. Il la couva encore des yeux avant de porter sa main à ses lèvres.

— Vous êtes incroyablement belle, comme un bouton de fleur accroché à une branche hors de portée.

Laine ravala une envie de crier. Non, elle n'était pas hors de sa portée. Mais la timidité l'emporta. Elle ne put rien faire d'autre que le regarder intensément.

— Venez !

Sans lui lâcher la main, il l'entraîna vers la porte et, quelques secondes plus tard, ils s'installèrent dans sa voiture.

— Vous devriez tout essayer au moins une fois.

Il parlait de nouveau d'un ton léger.

— Savez-vous que vous n'êtes pas très grande ?

— Parce que vous me regardez de toute votre hauteur ! contra-t-elle en riant.

Il était agréable de voir enfin leurs rapports se détendre.

— Que fait-on à cette fête, Dillon ? J'ai un peu peur. Je vais être mal vue si je refuse de manger du poisson cru. Mais…

Posant la tête contre le dossier, elle sourit aux étoiles.

— Mais tant pis, je n'en mangerai pas !

— Nous ne jetons plus les offenseurs à la mer.

Il lui décocha un coup d'œil en coin.

— Vous n'avez pas beaucoup de hanches, commenta-t-il. Mais vous devriez essayer de danser le hula.

— Je suis sûre que je peux y arriver. Mes hanches n'ont rien d'anormal, dit-elle en lui jetant un regard taquin. Est-ce que vous dansez, Dillon ?

Il eut un large sourire et la regarda furtivement dans les yeux.

— Je préfère regarder les autres. Il faut des années de pratique pour bien exécuter le hula. Ces danseurs sont excellents.

— Je vois.

Elle se tourna vers lui.

— Il y aura beaucoup de monde ?

— Mmm…

L'air absent, il tapota le volant du bout du doigt.

— Une centaine de personnes environ.

— Une centaine !

Elle repoussa des souvenirs pénibles. Les soirées que sa mère avait l'habitude de donner étaient toujours trop élégantes, et surtout, elles attiraient toujours trop de monde.

— Tommy a une très grande famille, expliqua Dillon. Tommy est notre hôte, ce soir.

— Quelle chance ! murmura-t-elle, peu convaincue.

Finalement, les « petites » familles avaient leurs avantages.

Chapitre 11

Le son grave des tambours vibrait dans l'air, que la fumée de la viande rôtie rendait âcre. Des torches flambaient, fichées dans de grandes tiges, leur flamme envoyant une lumière vacillante contre le ciel noir. La pelouse était criblée d'invités, certains vêtus d'habits traditionnels, d'autres, comme Dillon, en tenue décontractée, jean et T-shirt. Des rires fusaient, et une myriade de voix et de langages différents se mélangeaient. Ravie par cette ambiance, Laine ouvrait de grands yeux. Elle ne voulait pas perdre une bribe de ce qui l'entourait.

Un grand nombre d'aliments, aussi variés que mystérieux, étaient disposés dans des bols de bois et des petits plateaux sur un gros tapis tissé. Des jeunes filles aux cheveux d'ébène, en vêtements indigènes, s'agenouillaient pour remplir les assiettes. Des arômes succulents flottaient dans l'air, titillant l'appétit. Des hommes, torse nu, la taille enveloppée d'un pagne, faisaient naître des rythmes envoûtants en tapant sur de hauts tambours coniques.

Laine avait été présentée à plusieurs personnes, mais leurs visages se confondaient dans sa tête. Elle se laissa aller à l'état d'esprit de la foule. Il semblait régner une amitié universelle, une joie toute simple causée par le simple fait d'exister.

Bientôt encadrée de Dillon et de son père, elle s'assit sur l'herbe et contempla son assiette, remplie de mets inconnus. Des cris de joie se firent entendre par-dessus la musique quand quelqu'un fit glisser le cochon de lait rôti de sa broche et entreprit de le découper.

Laine trempa son doigt dans son assiette et goûta. Elle plissa le nez. Dillon se mit à rire, ce qui lui fit hausser les épaules.

— Il doit falloir être né ici pour aimer ça, dit-elle en essuyant son doigt sur une serviette.

— Goûtez ça ! conseilla Dillon.

Levant vers elle une bouchée piquée au bout d'une fourchette, il la poussa dans sa bouche. Etonnée, elle émit un petit grognement de gourmandise.

— C'est délicieux, dit-elle. Qu'est-ce que c'est ?

— Du laulau.

— Cela ne m'éclaire pas beaucoup ! fit-elle remarquer en riant.

— Puisque c'est bon, que voulez-vous savoir de plus ?

La logique de Dillon lui fit relever les sourcils.

— C'est du porc et de l'ananas cuits dans des feuilles de thé, expliqua-t-il en secouant la tête. Tenez, goûtez cela aussi !

Il lui présenta de nouveau sa fourchette. Laine accepta sans hésiter.

— Oh, qu'est-ce que c'est ? Je n'ai jamais rien mangé qui ait un goût pareil.

— C'est de la pieuvre, répondit-il.

Voyant son expression affolée, il hurla de rire.

— Je veux dire, du calamar !

— Je crois que je vais me contenter de porc à l'ananas, dit-elle d'un ton mi-sérieux, mi-amusé.

— Ce n'est pas ainsi que vous allez prendre des hanches.

— J'apprendrai à vivre sans. Qu'est-ce que c'est que cette boisson ?

Son père gloussa de rire.

— Non, s'empressa-t-elle de dire. Je préfère ne pas savoir.

Evitant le calamar, elle se régala de viande. De temps à autre, quelqu'un venait s'asseoir près d'eux pour échanger quelques paroles ou une longue histoire. Tout le monde la traitait amicalement, et bientôt, elle se sentit très à l'aise. Son père aussi semblait se trouver bien avec elle. Malgré la complicité qui existait entre

Dillon et lui, et qui semblait l'exclure, elle ne se sentait plus une intruse. La musique et les rires, les senteurs suaves flottaient autour d'elle. Jamais elle n'avait été à ce point consciente de ce qui l'entourait.

Soudain, le rythme des tambours s'enfiévra. Puis le silence s'installa brusquement. Orchidée s'avança dans le cercle lumineux formé par les torches, qui faisaient luire sa peau couleur de pain d'épice. Ses yeux dorés avaient une expression pleine d'assurance, voire d'arrogance. Son corps parfait était revêtu d'un minuscule morceau de tissu qui lui couvrait les seins, et d'un sarong de soie écarlate drapé autour des hanches. Elle resta complètement immobile, attendant qu'un silence absolu s'installe. Puis elle se mit à onduler des hanches. Un seul tambour suivit le rythme qu'elle imposait.

Ses longs cheveux noirs couronnés de boutons de roses caressaient son dos nu. Ses mains et ses courbes agiles avaient des gestes fascinants, tandis que le sarong de soie dessinait le contour de ses cuisses. Ses gestes sensuels coulaient au rythme du tambour. Laine avait le souffle coupé. Orchidée rivait ses yeux dorés dans ceux de Dillon. Elle lui adressa un sourire à peine perceptible, et commença à danser un peu plus vite. Plus le tambour devenait insistant, plus les ondulations de son corps devenaient lascives.

Elle affichait un sourire serein. Et soudain, comme au début, tout s'arrêta.

Les applaudissements éclatèrent, auxquels Laine participa à contrecœur. Orchidée lui décocha un regard triomphal, puis elle prit la couronne de fleurs qu'elle avait sur la tête et la lança sur les genoux de Dillon. Avec un petit rire sensuel, elle disparut dans l'ombre.

James se tourna vers Dillon.

— On dirait que tu as reçu une invitation, commenta-t-il. C'est stupéfiant.

Il eut une petite moue pensive.

Dillon haussa les épaules et leva son verre.

— Vous aimeriez bouger comme ça, Petit Osselet ?

Laine se tourna vers Miri, assise derrière eux. Elle avait une allure plus royale que jamais dans sa haute chaise en rotin.

— Mangez, et Miri vous apprendra, continua-t-elle.

Laine rougit. Elle mourait d'envie de se livrer à la musique avec un tel abandon. Elle évita le regard de Dillon.

— Je crois que les dons de Mlle King sont naturels, objecta-t-elle.

— Vous devriez y arriver, Duchesse, déclara Dillon en souriant.

Laine baissa les yeux.

— J'espère que vous me permettrez d'assister

aux leçons, Miri, continua-t-il. Comme vous le savez, j'ai l'œil, et le bon.

Laine eut envie de protester. Mais il regarda ses jambes nues, puis il remonta lentement les yeux avant de les plonger dans les siens. Elle resta muette.

Miri marmonna quelques paroles en hawaïen. Dillon se mit à rire et lui répondit dans la même langue. Miri se tourna vers Laine.

— Venez avec moi !

Elle se leva et la tira par la main.

— Qu'est-ce que vous lui avez dit ? interrogea Laine en lui emboîtant le pas.

— Je lui ai dit qu'il ressemblait à un gros chat affamé courant après une petite souris.

— Je ne suis pas une souris ! protesta Laine, indignée.

Sans ralentir, Miri éclata de rire.

— Dillon est du même avis que vous. Il dit que vous êtes un oiseau qui a parfois le bec dur sous des plumes soyeuses.

— Oh !

Ne sachant pas si elle devait être contente ou agacée, Laine préféra garder le silence.

— J'ai dit à Tommy que vous aviez un bijou à vendre, annonça Miri. Vous allez pouvoir lui parler.

— Oh, merci, murmura Laine.

Cette nuit enchanteresse lui avait fait oublier le médaillon.

Miri s'arrêta devant l'hôte de la fête. C'était un homme grand et mince, aux cheveux très noirs, au sourire et au regard chaleureux. Il devait avoir la trentaine. Laine l'avait vu mettre ses invités à l'aise. Il avait un charme bien particulier.

— Voici la fille de Cap'taine Simmons, dit Miri en plaçant une main protectrice sur l'épaule de Laine. Tu lui fais un bon prix, sinon je te tire les oreilles !

— Oui, Miri, répondit-il en posant sur elle ses yeux rieurs.

Il la regarda s'éloigner, puis il prit Laine par les épaules et l'entraîna doucement à l'écart, sous les arbres.

— Miri est le chef de la famille, dit-il en souriant. Elle dirige tout d'une main de fer.

— Oui, c'est ce que j'ai cru comprendre. Il est impossible de lui dire non, n'est-ce pas ?

Tandis qu'ils marchaient, le son des tambours s'amenuisa.

— J'avoue que je n'ai jamais essayé. Je suis trop lâche !

Il éclata de rire.

— J'apprécie que vous ayez bien voulu m'accorder du temps, monsieur Kinimoko, dit-elle.

— Appelez-moi Tommy, et moi, si vous le voulez bien, je vous appellerai Laine.

Elle sourit. Alors qu'ils marchaient lentement, le murmure de la mer se fit bientôt entendre.

— Miri m'a dit que vous aviez un bijou à vendre. Mais elle ne m'a même pas dit de quoi il s'agissait.

— C'est un médaillon en or.

Grâce au ton amical de Tommy, elle se sentait très détendue.

— Il est en forme de cœur, et il est accompagné d'une chaîne tressée. Je n'ai aucune idée de sa valeur.

Elle fit une pause. Si au moins elle avait eu une autre solution que de le vendre.

— J'ai besoin de cet argent, dit-elle à voix très basse.

Tommy regarda son profil délicat, puis il lui tapota l'épaule.

— Je suppose que vous ne voulez pas que votre père le sache ?

Elle secoua la tête.

— Très bien. J'ai un peu de temps libre demain matin. Je viendrai y jeter un coup d'œil. Ce sera plus pratique pour vous que de venir dans ma boutique.

— C'est très gentil à vous.

Laine sourit. C'était bon de savoir que le premier obstacle était franchi.

— J'espère que cela ne vous dérangera pas trop, dit-elle.

— J'aime me déranger quand il s'agit de servir une belle femme.

Il garda le bras sur ses épaules et ils firent demi-tour.

— Vous avez entendu ce que Miri a dit. Vous ne voudriez pas qu'elle me tire les oreilles ?

— Je ne me pardonnerais jamais si j'étais responsable d'une chose pareille ! Je vais lui dire que vous avez été très bien avec la fille de Cap'taine, et elle laissera vos oreilles tranquilles.

En riant, elle leva le visage vers lui tandis qu'ils sortaient du rideau d'arbres.

— Ta sœur te cherche, Tommy ! cria Dillon.

Laine sursauta. Bizarrement, elle eut un sentiment de culpabilité.

— Merci, Dillon. Prends soin de Laine, lui conseilla-t-il gravement. Elle est sous la protection de Miri.

— Je ne l'oublierai pas !

Silencieux, il regarda Tommy se fondre dans la foule. Puis il se tourna vers elle.

Avec une note d'agacement dans la voix, il dit lentement :

— Il y a une vieille coutume hawaïenne… que je viens juste d'inventer. Quand une femme vient à cette fête en compagnie d'un homme, elle ne doit pas aller courir dans les bosquets avec un autre.

— Allez-vous me jeter aux requins pour avoir enfreint la loi ? demanda-t-elle.

Son sourire taquin s'évanouit quand Dillon s'approcha d'elle.

— Arrêtez, Laine.

Il lui posa une main sur la nuque.

— Je ne suis pas très doué pour contraindre.

Elle chancela vers lui, s'abandonnant à une nécessité urgente.

— Dillon, murmura-t-elle en lui offrant sa bouche.

Elle sentait ses doigts forts sur son cou. Elle appuya ses deux mains contre son torse. Le cœur de Dillon battait violemment. Dillon soupira doucement. Visiblement, il luttait contre ses émotions. Une lueur traversa ses yeux et s'effaça avant que ses doigts se détendent.

— Une vahiné qui reste dans l'ombre des arbres sous la pleine lune doit être embrassée.

— Est-ce une autre tradition hawaïenne ?

Les bras de Dillon glissèrent autour de sa taille. Elle se fondit contre lui.

— Oui, c'est une tradition qui a déjà dix secondes d'existence.

Avec une douceur inattendue, il posa les lèvres sur sa bouche. Au premier contact, elle éprouva des ondes de plaisir dans tout son corps. Paraissant très loin, le son des tambours arrivait à leurs oreilles, leur rythme allant crescendo, tout comme celui de son cœur. Sous ses mains, les épaules de Dillon étaient dures, tendues. Elle les caressa, puis elle lui enlaça le cou et l'attira contre elle. Trop vite, il s'écarta, et ses bras se dénouèrent.

— Encore, murmura-t-elle, frustrée.

Elle attira de nouveau son visage vers le sien.

Cette fois, il l'étreignit violemment. La puissance de son baiser lui ôta toute pensée cohérente. Elle goûtait ses lèvres affamées, elle sentait la chaleur se répandre sur la peau de Dillon, et sur la sienne. L'air semblait vibrer autour d'eux. En cet instant, son corps appartenait davantage à cet homme qu'à elle-même. S'il existait autre chose au monde que les lèvres brûlantes et les mains caressantes de Dillon, rien n'avait plus de sens pour elle.

Mais encore une fois, Dillon la repoussa doucement. Il parla d'une voix rauque.

— Retournons vers les autres avant qu'une autre tradition ne me vienne à l'esprit.

Le lendemain matin, Laine traîna au lit. Poussant un grand soupir de satisfaction, elle offrit son visage au soleil, qui inondait la chambre. Elle avait encore le goût des lèvres de Dillon sur sa bouche, et tous ses sens en émoi. Elle s'étira voluptueusement, revivant les sensations qui l'avaient subjuguée au cours de cette fête inoubliable.

Mais bientôt, Miri entra dans sa chambre. A contrecœur, Laine s'assit dans son lit.

— On n'a pas idée de gâcher une belle matinée comme celle-ci ! déclara Miri d'une voix faussement sévère.

Elle posa un regard indulgent sur elle.

— Cela permet de prolonger la nuit, répliqua Laine en lui souriant.

— Vous avez aimé le cochon rôti aux ananas ? s'enquit Miri avec un sourire malicieux.

— C'était délicieux.

Miri éclata de rire et s'apprêta à repartir.

— Je vais au marché. Mon neveu est arrivé pour voir votre bijou. Voulez-vous qu'il attende ?

— Oh ! J'arrive !

Se forçant à redescendre sur terre, Laine se coiffa du bout des doigts.

— Je ne savais pas qu'il était si tard. Je ne veux pas le retarder… il n'y a personne d'autre à la maison ?

— Non, les hommes sont partis.

Laine se leva et enfila un peignoir.

— Il pourrait peut-être monter pour le regarder. Je ne veux pas lui faire perdre de temps.

— Il vous en donnera un bon prix. Sinon, vous me le direz.

Laine prit le médaillon dans son tiroir. Il

scintilla sous un rayon de soleil. Bien qu'il ne contienne aucune photographie, elle l'ouvrit.

— Bonjour, Laine !

Levant la tête, elle adressa un sourire triste à Tommy, qui se tenait sur le seuil de la chambre.

— Bonjour, Tommy. Merci d'être venu. Pardonnez-moi, j'ai fait la grasse matinée.

— Cela prouve que la fête était réussie.

Il lui adressa un petit signe de tête tandis qu'elle s'approchait de lui en lui tendant le bijou.

— Je suis sûre que je ne l'oublierai jamais, dit-elle en souriant.

Elle serra nerveusement ses mains l'une contre l'autre pendant qu'il examinait le médaillon.

— C'est très joli, finit-il par dire.

Levant les yeux, il l'observa.

— Laine, vous n'avez pas vraiment envie de le vendre… cela se lit sur votre visage.

— C'est vrai. Mais je ne peux pas faire autrement, répondit-elle d'une voix aussi ferme que possible.

Tommy hocha lentement la tête et replaça le bijou dans sa petite boîte.

— Je peux vous en donner une centaine de dollars, bien qu'il ait certainement une valeur beaucoup plus importante pour vous.

Laine hocha la tête et prit la boîte qu'il lui tendait.

— C'est parfait. Vous pourriez peut-être l'emporter tout de suite. J'aimerais autant.

— Comme vous voulez, dit-il en sortant son portefeuille de sa poche.

Il compta les billets.

— J'ai apporté un peu de liquide. J'ai pensé que ce serait plus pratique pour vous qu'un chèque.

— Merci.

Elle prit l'argent et le fixa un instant des yeux. Tommy posa une main amicale sur son épaule.

— Laine… je connais Cap'taine depuis longtemps. Voulez-vous considérer cet argent comme un prêt sans intérêts ?

— Non, certainement pas.

Secouant la tête, elle se força à sourire pour adoucir sa réponse.

— Non, c'est très gentil de votre part, mais je préfère qu'il en soit ainsi.

Tommy soupira.

— Très bien.

Il prit la boîte qu'elle lui tendait et la glissa dans sa poche.

— Je vais le garder quelque temps, au cas où vous changeriez d'avis.

— Merci. Et merci de ne pas m'avoir posé de questions.

— Je m'en vais.

Il lui prit la main et la serra doucement.

— Dites à Miri de me contacter si vous voulez le récupérer, dit-il avant de sortir.

— D'accord.

Quand il fut parti, Laine se laissa lourdement tomber sur le lit, les yeux fixés sur les billets qu'elle tenait toujours à la main. C'était la seule solution, songea-t-elle tristement. Elle secoua la tête. Après tout, ce n'était pas si grave. Ce médaillon n'était qu'un petit objet en métal doré. Maintenant qu'elle ne l'avait plus, il valait mieux qu'elle le chasse de son esprit.

— Bonjour, Duchesse. J'ai l'impression que vous avez eu une matinée profitable !

Laine releva vivement la tête. Le regard de Dillon était aussi glacial qu'un lac gelé. Elle resta sans rien dire, incapable d'éclaircir ses pensées. Dillon la déshabilla d'un regard dur. Instinctivement, elle porta la main au décolleté de son peignoir. S'approchant d'elle, il lui prit brusquement l'argent des mains et le jeta sur la table de chevet.

— Vous avez de la classe, Duchesse, dit-il d'une voix sèche. C'est plutôt réussi, pour une matinée de travail.

— De quoi parlez-vous ? dit-elle en cherchant désespérément un moyen d'éviter le sujet du médaillon.

— Je crois que c'est assez clair. Je suppose que je dois présenter des excuses à Orchidée.

Il fourra furieusement ses mains dans ses poches et se balança d'avant en arrière sur les talons. Cette attitude désinvolte ne fit que souligner la lueur flamboyante de son regard.

— Quand elle m'a parlé de ce petit arrangement, je l'ai rabrouée. Pourtant, elle avait raison, apparemment. Vous êtes efficace, Laine. Vous n'avez pas passé plus de dix minutes avec Tommy, hier soir. Vous avez certainement battu un record.

Laine ouvrit de grands yeux étonnés. Pourquoi la vente de son médaillon le mettait-elle dans un tel état ?

— Je ne comprends pas pourquoi vous êtes en colère, dit-elle. Mlle King a dû surprendre ma conversation avec Tommy.

Brusquement, elle se rappela. Pendant qu'elle parlait avec le neveu de Miri, sous les arbres, il y avait eu un grand bruissement de feuillages.

— Mais pourquoi s'est-elle crue obligée de vous parler de cette histoire…

— Comment avez-vous réussi à vous débarrasser de Miri pendant que vous faisiez vos petites affaires ? interrogea Dillon d'une voix dure. Elle a un code moral très strict, vous le savez. Si elle apprend comment vous avez gagné cet argent, elle va vous tomber dessus.

— Mais de quoi…

Brusquement, elle poussa un petit cri. La

lumière venait de se faire dans son esprit. Dillon ne faisait pas allusion à son médaillon. Il croyait qu'elle s'était vendue elle-même pour cent dollars ! Elle devint livide.

— Vous ne croyez pas sérieusement que je…

Sa voix se brisa. Le regard accusateur de Dillon la paralysait.

— Vous êtes un individu méprisable ! s'écria-t-elle soudain. Vous avez l'esprit pervers !

Au bord des larmes, elle fit une pause. Des doigts glacés lui serraient le cœur.

— Je ne vais pas me laisser insulter !

— Ah oui ?

Dillon la prit sans ménagement par le bras et l'obligea à se lever.

— Avez-vous une meilleure explication pour la visite de Tommy et ce paquet de billets ? Si vous en avez une, allez-y, je vous écoute.

— Oui, vous m'écoutez…, dit-elle avec un petit rire amer. Cependant, je ne vous dirai rien. Excusez-moi, mais la visite de Tommy et cet argent ne regardent que moi. Je ne vous dois aucune explication. Vous n'en valez pas la peine, avec vos conclusions écœurantes. Le fait que vous ayez accordé crédit aux paroles d'Orchidée et que vous soyez venu me surveiller prouve bien que nous n'avons plus rien à nous dire.

— Je ne suis pas venu pour vous surveiller.

Il la regarda d'un air menaçant, mais elle ne baissa pas les yeux.

— Je suis venu parce que vous m'aviez dit que vous aimeriez refaire un tour en avion. Vous vouliez apprendre à piloter. Si vous voulez que je vous présente des excuses, tout ce que vous avez à faire est de me donner une explication valable.

— J'ai passé trop de temps à m'expliquer devant vous. Depuis le premier jour, vous n'avez pas cessé de me poser des questions. Pas une seule fois vous ne m'avez fait confiance.

Faisant une pause, elle prit une profonde inspiration. Son regard indigné lançait des éclairs.

— Maintenant, je veux que vous sortiez de cette chambre ! Et que vous me laissiez tranquille pendant le peu de temps qu'il me reste à passer chez mon père !

Au lieu de se relâcher, les mains de Dillon se resserrèrent sur son bras. Elle retint son souffle.

— Je vais partir, ne vous inquiétez pas, mais avant, j'aimerais vous féliciter, dit-il d'un ton cinglant. Vous avez joué à la perfection le rôle de la jeune fille innocente. Tout y était.

Il l'attira brutalement contre lui.

— Lâchez-moi, vous me faites mal !

Comme si elle n'avait rien dit, il continua :

— Je vous désirais, Laine. Hier soir, je n'en pouvais plus, je mourais d'envie de vous séduire. Mais je vous ai respectée, comme je n'ai jamais respecté une autre femme. Vous aviez cette aura de fragilité qui peut rendre un homme complètement fou. Vous n'auriez pas dû jouer ce petit jeu avec moi, Duchesse.

Laine essaya de se libérer, mais il l'en empêcha.

— La partie est finie, maintenant, je vais récolter ce qui m'est dû, dit-il.

Laine ouvrit la bouche pour protester, mais il la réduisit au silence par un baiser dur, impitoyable. Elle essaya de se débattre, mais les bras puissants de Dillon la retenaient prisonnière. Soudain, la chambre se mit à tourner, et elle se retrouva écrasée sous son poids. Dillon l'avait jetée sur le lit.

Elle lutta désespérément contre lui. Cependant, les mains et la bouche de Dillon restaient les plus forts. Furieux, il voulait la posséder sur-le-champ.

Brusquement, il commença à se calmer. La punition devint séduction tandis que ses mains se mettaient à la caresser avec lenteur. Il posa les lèvres sur sa gorge. Avec un petit sanglot, Laine se rendit. Son corps se liquéfiait sous le sien, sa volonté s'évaporait. Les sensations qu'elle éprouvait étaient trop intenses. Les larmes lui gonflèrent les yeux, mais elle ne fit aucune tentative pour les retenir.

Dillon s'immobilisa. Un silence pesant tomba

dans la chambre, interrompu seulement par le bruit de leur respiration haletante. Relevant la tête, Dillon suivit des yeux une larme qui coulait sur sa joue. Il poussa un juron retentissant et se leva. Il se passa une main nerveuse dans les cheveux et lui tourna le dos.

— C'est la première fois que je me sens capable de violer une femme, dit-il d'une voix grinçante.

Faisant volte-face, il la dévisagea. Laine restait sans bouger. Elle semblait épuisée. Elle n'essaya même pas de se couvrir. Elle le regardait avec des yeux d'enfant blessé.

— Je ne supporte pas ce que vous m'avez fait, Laine !

Tournant les talons, il sortit de la pièce en claquant la porte. Laine resta immobile. Jamais aucun bruit n'avait résonné aussi effroyablement à ses oreilles.

Chapitre 12

De la fenêtre de sa chambre, Laine regardait l'herbe printanière qui devenait plus verte sous les rayons du soleil. Une bande de filles marchait dans le couloir, en direction du réfectoire. C'était l'heure du petit déjeuner. Laine soupira. D'habitude, leurs joyeux bavardages la faisaient sourire. Mais aujourd'hui, elle n'en avait aucune envie.

Elle était rentrée à Paris depuis quinze jours à peine. En voyant ses bagages, Miri avait froncé les sourcils et lui avait posé une foule de questions. Mais elle avait tenu bon, refusant de reporter son départ et de donner des réponses précises. Quant à la lettre qu'elle avait laissée pour son père, elle ne contenait pas plus de détails. Elle lui demandait seulement de lui pardonner de partir si vite, et lui promettait de lui écrire dès qu'elle serait de retour en France. Cependant, elle n'avait pas encore trouvé le courage de le faire.

Les souvenirs des derniers moments passés

avec Dillon continuaient de la hanter. Elle sentait encore le parfum enivrant des fleurs de l'île, la chaleur, et l'air humide qui montait de la mer. La lune, dont le reflet finissait maintenant de s'effacer, paraissait bien petite et bien pâle à Paris. Laine soupira. Elle avait espéré qu'avec le temps, ces souvenirs s'évanouiraient. Il ne fallait pas qu'elle pense à Kauai et à ses promesses. Tout cela était définitivement derrière elle.

Et c'était beaucoup mieux ainsi. Oui, il n'y avait aucun doute là-dessus.

Laine prit sa brosse à cheveux et se prépara pour partir travailler. C'était même beaucoup mieux pour tout le monde. Son père avait ses habitudes, et il serait content de communiquer par courrier avec elle. Peut-être viendrait-il un jour lui rendre visite. Mais il n'était pas question qu'elle retourne là-bas. Sa vie, son travail, ses amies étaient ici. Ici, elle savait ce que l'on attendait d'elle. Elle aurait une existence tranquille, à l'abri des émotions violentes.

Elle ferma les yeux sur l'image de Dillon.

Il était encore trop tôt pour penser à lui sans souffrir, songea-t-elle. Plus tard, quand son souvenir se serait estompé, elle pourrait revenir inspecter ce coin de sa mémoire. Quand elle se permettrait de penser de nouveau à lui, ce serait pour se rappeler les bons moments, en toute sérénité.

Et oublier serait plus facile si elle reprenait ses habitudes, si elle avait le moins de temps libre possible. Toutes ses journées étaient prises par son travail jusqu'au milieu de l'après-midi. Elle devait trouver d'autres occupations pour les heures suivantes. N'importe quoi, pourvu qu'elle s'occupe l'esprit.

La pluie tomba toute la journée. Et avec elle, l'inévitable fuite du toit, qui tambourinait avec une régularité surprenante en tombant dans la cuvette. L'école était très ancienne et mal entretenue, les réparations étant toujours réduites au minimum. Bien que toutes les fenêtres soient fermées, l'humidité s'infiltrait dans la pièce. Pour le dernier cours de la journée, elle avait de jeunes Anglaises tout juste adolescentes, qui semblaient s'ennuyer ferme devant leur livre de grammaire française. C'était samedi, et il n'y avait cours que le matin, mais les heures se traînaient péniblement. Resserrant sa veste sur sa poitrine, Laine s'arma de courage. L'après-midi serait plus agréable. Elle lirait un bon livre au coin du feu.

— Eloise, dit-elle. Vous pourriez attendre cet après-midi pour faire la sieste !

La jeune fille ouvrit les yeux. Elle sourit

vaguement en entendant ses camarades éclater de rire.

— Oui, mademoiselle Simmons.

Laine ravala un soupir.

— Vous serez libres dans dix minutes, dit-elle en s'asseyant au bord du bureau. Au cas où vous l'auriez oublié, nous sommes samedi, ce qui signifie que demain, c'est dimanche.

Cette information provoqua des murmures d'approbation. Quelques têtes se redressèrent bravement. Voyant qu'elle avait réussi à capter leur attention, elle continua :

— Nous allons conjuguer le verbe chanter... je chante, tu chantes...

— Vous chantez !

Sa voix faiblit soudain. Une silhouette masculine se dessinait contre la porte ouverte, au fond de la salle.

Les filles se mirent à répéter en chœur la conjugaison. Affolée, Laine en profita pour se retirer derrière son bureau. Son cœur menaçait de lâcher. Dillon était au fond de la salle, les yeux fixés sur elle. Quand les élèves se turent, Laine resta un instant indécise. Elle ne devait pas oublier l'emploi du temps qu'elle s'était assigné.

— Très bien. Pour lundi, vous allez écrire plusieurs phrases en utilisant ce verbe sous toutes ses formes. Eloise, je vous préviens, je ne me contenterai pas de miniphrases comme « il chante ».

— Oui, mademoiselle Simmons.

La sonnerie signala la fin du cours.

— Et je vous prie de sortir sans courir ! dit Laine en essayant de garder un ton ferme.

Elle serra les mains l'une contre l'autre et les suivit des yeux, faisant reculer le plus possible le moment où elle devrait affronter Dillon. Lui aussi regardait les élèves, un petit sourire au coin des lèvres. Dès que la dernière fut sortie, il traversa la salle à grands pas et se planta devant Laine.

— Bonjour, Dillon, dit-elle en essayant de maîtriser le tremblement de sa voix. Vous avez produit un effet fantastique sur mes élèves.

Elle parlait à toute vitesse pour cacher son trouble.

Dillon l'observait en silence. Submergée par l'émotion, elle fit de son mieux pour composer son attitude.

— Vous n'avez pas changé, finit-il par dire. Je ne sais pas pourquoi j'avais peur que vous ayez changé.

Il mit la main dans sa poche, d'où il sortit le médaillon en forme de cœur, qu'il posa sur le bureau. Incapable de dire un mot, Laine prit le bijou, et ses yeux s'emplirent de larmes.

— Ce n'est pas terrible, comme excuse, mais je n'ai pas beaucoup de pratique en la matière.

Sa voix enfla de colère. Laine leva un regard effrayé.

— Bon Dieu, Laine, si vous aviez besoin d'argent, pourquoi ne m'en avez-vous pas parlé ?

— Pour que vous soyez conforté dans votre opinion sur le motif de ma visite ?

Lui tournant le dos, Dillon s'approcha de la fenêtre et regarda le rideau de pluie.

— Je m'y attendais, à cette réponse-là, murmura-t-il.

Il posa les mains sur l'appui de la fenêtre et baissa la tête.

Un peu ébranlée par son air triste, Laine continua :

— Il est inutile de remuer tout cela, Dillon. Je vous suis très reconnaissante d'avoir pris le temps et la peine de me rapporter ce médaillon. C'est plus important pour moi que je ne pourrai jamais vous le dire. Je ne sais pas comment vous remercier. Je…

Dillon fit volte-face. Devant son visage furieux, elle recula. Visiblement, il luttait pour se contrôler.

— Non, ne dites rien, laissez-moi parler une minute !

Il remit les mains dans ses poches. Pendant

un long moment, il fit les cent pas dans la pièce. Petit à petit, il commença à se calmer.

— Le toit fuit, fit-il remarquer.

— Seulement quand il pleut.

Il eut un drôle de rire et se tourna de nouveau vers elle.

— Vous allez peut-être me trouver ridicule, mais je suis sincèrement désolé. Non…

Il secoua la tête pour l'empêcher de parler.

— Ne soyez pas si généreuse, cela ne fait qu'augmenter mon sentiment de culpabilité.

Il voulut allumer une cigarette, mais il se ravisa et poussa un profond soupir.

— Après ma belle démonstration de stupidité, j'ai fait beaucoup de sorties en avion. Il se trouve que j'ai les idées bien plus claires quand je plane à quelques centaines de mètres au-dessus du sol. Vous allez trouver cela difficile à croire, et je suppose que c'est encore plus ridicule de ma part d'espérer que vous allez me pardonner, mais je suis arrivé à voir les choses en face. Je ne croyais pas un seul mot de ce que je vous ai dit, l'autre matin.

Il se passa les deux mains sur les joues. Laine ne le quittait pas des yeux. Il paraissait fatigué, et déprimé.

— Tout ce que je sais, c'est qu'à partir de la première seconde où je vous ai vue, je suis devenu cinglé. L'autre jour, je suis retourné à la maison avec l'intention de vous présenter mes excuses, toutes plus creuses les unes que les autres. J'ai fini par me rendre compte que toutes les accusations que j'avais proférées contre vous étaient en réalité destinées à votre père.

Secouant la tête, il eut un léger sourire.

— Mais cela n'a servi à rien.

— Dillon…

— Laine, ne m'interrompez pas, je n'en ai pas la patience pour le moment.

Il se remit à arpenter la salle de classe. Silencieuse, Laine attendit.

— Je ne suis pas très doué pour parler, alors j'aimerais que vous ne disiez rien avant que j'aie fini.

Il continua de faire les cent pas.

— Quand je suis rentré, Miri m'attendait. Sur le coup, je n'ai rien pu obtenir d'elle, excepté une avalanche de reproches virulents. Et puis elle a fini par m'annoncer que vous étiez partie, et elle m'a parlé de votre médaillon. Il a fallu que je lui donne ma parole que je n'en parlerais pas à Cap'taine. Apparemment, elle a tenu la promesse qu'elle vous avait faite.

Il secoua la tête.

— Cela fait dix jours que je suis en France, à essayer de vous retrouver.

Il fit un grand geste du bras.

— Dix jours ! répéta-t-il comme si c'était toute

une vie. Ce n'est que ce matin que j'ai retrouvé la trace de la gouvernante qui travaillait pour votre mère. Elle a été très coopérative. Elle m'a fait un compte rendu complet des dettes et des actions de Vanessa, et elle m'a longuement parlé de l'adolescente qui passait ses vacances de Noël au pensionnat pendant que sa mère allait à Saint-Moritz. Pour finir, elle m'a donné l'adresse de l'école où vous travaillez.

Il fit une pause. Pendant un bref instant, il n'y eut que le bruit de la gouttière qui s'écoulait dans la cuvette.

— Vous ne pouvez rien me dire que je ne me sois déjà dit à moi-même en termes certainement plus imagés, continua-t-il en soupirant. Mais j'ai pensé que je devais vous en offrir la possibilité.

Voyant qu'il avait enfin fini, Laine prit une profonde inspiration.

— Dillon, j'ai beaucoup pensé à ce que ma situation pouvait représenter pour vous. Vous n'en connaissiez qu'un aspect, et vous étiez d'emblée du côté de mon père. Quand je suis calme, j'ai du mal à vous en vouloir de votre loyauté envers lui. Quant à ce qui s'est passé ce matin-là…

Faisant une pause, elle avala péniblement sa salive. Elle avait la gorge sèche.

— Je crois que c'était aussi pénible pour vous que pour moi, peut-être plus difficile encore.

— J'aimerais mieux que vous me fassiez des reproches, dit-il.

— Je suis désolée.

Avec un léger sourire, elle haussa les épaules.

— Il faudrait que je sois vraiment furieuse pour pouvoir le faire, surtout ici. Les bonnes sœurs n'apprécient pas les accès de colère.

— Cap'taine veut que vous rentriez à la maison.

Le sourire de Laine s'évanouit, tandis que son regard s'attristait. Secouant la tête, elle s'approcha de la fenêtre.

— Ma maison, c'est ici.

— Votre maison est à Kauai. Cap veut que vous reveniez. Vous ne trouvez pas injuste qu'il vous perde deux fois ?

Faisant de son mieux pour ignorer la douleur que les paroles de Dillon venaient de provoquer en elle, elle rétorqua :

— Vous ne trouvez pas injuste de me demander de tourner le dos à ma vie et de repartir ? Ne me parlez pas de justice, Dillon.

— Ecoutez, je comprends que vous soyez amère à mon sujet. Je le mérite, mais votre père, lui, n'a rien fait. Comment croyez-vous qu'il a réagi en apprenant quelle enfance vous aviez eue ?

Laine fit volte-face.

— Vous lui en avez parlé ?

Pour la première fois depuis qu'il était entré dans la salle, elle perdit le contrôle d'elle-même.

— Vous n'aviez pas le droit ! s'écria-t-elle.

— Bien sûr que si. Tout comme votre père avait le droit de savoir. Laine, écoutez-moi.

Elle fit quelques pas pour s'éloigner de lui.

— Il vous aime. Il n'a jamais cessé de vous aimer pendant toutes ces années. Je suppose que c'est la raison pour laquelle j'ai réagi avec agressivité par rapport à vous.

Poussant un soupir d'impatience, il se passa une main dans les cheveux.

— Pendant quinze ans, il a souffert à cause de vous.

— Croyez-vous que je ne le sache pas ?

— Laine, les quelques jours que vous avez passés chez lui lui ont rendu sa fille. Il n'a pas demandé pourquoi vous n'aviez jamais répondu à ses lettres. Il n'a jamais porté contre vous les accusations que j'ai moi-même portées.

Il ferma brièvement les yeux, et sa fatigue fut de nouveau évidente.

— Il n'a pas besoin d'explications, ni d'excuses. Il ne fallait pas continuer à lui cacher la vérité. Quand il a vu que vous étiez partie, il a voulu venir lui-même en France pour vous ramener là-bas. Je l'ai prié de me laisser partir seul, parce que c'était à cause de moi que vous étiez rentrée à Paris.

Laine soupira et glissa le médaillon dans sa poche.

— Après tout, vous avez peut-être eu raison de lui parler, dit-elle d'une voix lasse. Je vais lui écrire, ce soir. Je n'aurais pas dû m'en aller sans l'avoir revu. Ce que vous venez de me dire est le plus beau cadeau que j'aie jamais reçu. Je ne veux pas que vous croyiez, lui et vous, que mon retour en France était provoqué par de la rancœur. J'espère que mon père va bientôt venir me voir. Je vais écrire une lettre que vous lui transmettrez.

Les yeux de Dillon s'assombrirent encore plus. Sa voix vibra de colère.

— Cela ne va pas lui plaire de savoir que vous vous enterrez dans cette école.

Laine se détourna et regarda par la fenêtre.

— Je ne m'enterre pas, Dillon. Cette école représente mon chez-moi et mon gagne-pain.

— Et votre cachette !

Comme elle se raidissait, il poussa un juron sonore et se remit à faire anxieusement les cent pas.

— Désolé, c'était nul, marmonna-t-il.

— Cessez de vous excuser, Dillon.

Il s'arrêta derrière elle. Laine lui tournait le dos, mais il devinait la courbe de son menton caressée par ses boucles blondes. Dans son blazer bleu marine et sa jupe blanche plissée, elle ressemblait davantage à une étudiante qu'à un professeur. Il se remit à parler plus doucement.

— Ecoutez, Duchesse, je vais passer quelques jours à Paris, pour jouer les touristes. Si vous me montriez un peu ce qu'il y a à voir ? Vous pourriez me servir de guide et d'interprète.

Laine ferma les yeux. Quelques jours en sa compagnie seraient un véritable supplice. Il était inutile de prolonger ainsi son calvaire.

— Je suis désolée, Dillon, mais cela tombe très mal. Je n'ai pas une minute en ce moment. J'ai accumulé beaucoup de retard dans mon travail quand j'étais à Kauai.

— Vous avez décidé de me compliquer les choses, c'est ça ?

— Pas du tout, Dillon.

Elle se tourna vers lui, un sourire désolé sur les lèvres.

— Une autre fois, peut-être.

— Il n'y aura pas d'autre fois. Je fais de mon mieux pour agir comme il faut, mais je ne sais pas très bien où je mets les pieds. Je n'ai jamais eu affaire à une femme comme vous. Toutes les règles sont différentes.

Elle leva sur lui un regard étonné. L'assurance légendaire de Dillon avait disparu. Il avança vers elle, fit une pause, puis il se dirigea vers le tableau noir. Il regarda quelques instants sans les voir les conjugaisons des verbes français.

— Dînons ensemble ce soir ! finit-il par dire.

— Non, Dillon, je…

Il fit demi-tour si rapidement qu'elle ravala la fin de sa phrase.

— Si vous ne voulez même pas dîner avec moi, comment pourrai-je vous convaincre de rentrer à Kauai ? Quand pourrai-je commencer à vous faire la cour ? N'importe quel imbécile verrait que je ne suis pas très doué pour cela. J'ai déjà commis pas mal de dégâts. Je ne sais pas combien de temps je vais encore pouvoir rester raisonnable et cohérent. Je vous aime, Laine, et cela me rend fou. Venez avec moi à Kauai, pour que nous puissions nous marier.

Abasourdie, Laine leva sur lui des yeux incrédules.

— Dillon… venez-vous de dire que vous m'aimez ?

— Oui, j'ai dit que je vous aimais. Voulez-vous l'entendre encore ?

Il posa les mains sur ses épaules, les lèvres sur ses cheveux.

— Je vous aime tant que je n'arrive même plus à faire des choses aussi vitales que manger et dormir. Je ne pense qu'à vous. Je n'arrête pas de vous revoir avec ce coquillage contre l'oreille. Vous étiez debout sur la plage, et l'eau coulait de vos cheveux. Vos yeux avaient la couleur du ciel et de la mer. Je suis tombé follement amoureux de vous. J'ai essayé de l'ignorer, mais je perdais pied chaque fois que vous vous approchiez de moi. Et quand vous êtes partie, j'ai eu l'impression qu'on m'arrachait une partie de moi-même. Sans vous, je ne suis plus un être complet.

— Dillon, murmura-t-elle.

— Je vous jure que je n'avais pas l'intention de mettre la pression sur vous. Je ne voulais pas vous dire cela à Paris. Je vous donnerai tout ce que vous voudrez, les fleurs, les bougies. Vous serez étonnée de voir à quel point je peux être conventionnel quand c'est nécessaire. Rentrez avec moi, Laine. Je vous laisserai le temps de réfléchir avant de renouveler ma demande en mariage.

— Non.

Elle secoua la tête, puis elle prit une longue inspiration.

— Je ne rentrerai pas avec vous, sauf si vous m'épousez avant.

— Laine…

Il resserra les mains sur ses épaules. Puis, avec un petit râle de plaisir, il l'embrassa sur la bouche.

— Ne comptez pas sur moi pour vous laisser le temps de changer d'avis, coupa-t-elle.

Levant les bras, elle joignit ses mains autour de son cou, puis elle posa la joue contre sa joue.

— Vous me donnerez les fleurs et les bougies plus tard. Quand nous serons mariés !

— Marché conclu, Duchesse ! Je vais vous épouser avant même que vous ne preniez conscience de ce que vous faites. Certaines personnes vous diront peut-être que j'ai quelques défauts… par exemple, que je perds patience de temps à autre.

— Vraiment ?

Laine le regarda d'un air espiègle.

— Je n'ai jamais connu personne qui soit plus calme que vous… Cependant…

Elle lui caressa la gorge du bout des doigts et joua avec le bouton supérieur de sa chemise.

— … je devrais sans doute confesser que je suis par nature très jalouse. C'est plus fort que moi. Et si je revois une femme en train de danser le hula spécialement pour vous, il se peut bien que je la jette du haut de la falaise la plus proche !

— Vous le feriez ? interrogea-t-il avec un sourire d'intense satisfaction.

Il prit son visage entre ses mains.

— Alors je crois que Miri devra vous apprendre à danser dès que nous serons de retour. Je vous préviens, j'ai bien l'intention d'assister à chaque leçon.

— Je suis sûre que j'apprendrai vite.

Se hissant sur la pointe des pieds, elle l'attira contre lui.

— Mais pour l'instant, il y a d'autres choses que j'aimerais apprendre. Embrassez-moi encore, Dillon !

Dès le 1er juin,
4 romans à découvrir dans la

Défi pour un MacGregor

Dès qu'il croise le regard d'Anna Whitfield, lors d'une grande réception donnée à Boston, Daniel MacGregor en est certain : cette femme sera la sienne. Et quand il l'invite à danser, son choix se confirme : très différente des autres jeunes femmes de son milieu, Anna est indépendante, intelligente, drôle. Mais très vite, alors même qu'il devine que les sentiments qu'il éprouve sont réciproques, Daniel, surpris, se heurte à une fin de non recevoir. Car Anna, tout entière tournée vers la réalisation de son rêve — devenir chirurgien —, refuse toute idée d'engagement et de mariage… Décontenancé pour la première fois de sa vie, alors que d'ordinaire rien ne lui résiste, Daniel pressent qu'il va lui falloir réviser toutes ses certitudes s'il veut conquérir celle dont il est tombé fou amoureux…

Mariage à Manhattan

Après avoir volontairement renoncé à sa carrière de danseuse étoile, Kate Stanislaski Kimball a quitté New York afin de revenir vivre auprès de sa famille. Alors qu'elle cherche un entrepreneur pour l'aider à réhabiliter la vieille bâtisse qu'elle veut transformer en école de danse, elle rencontre le séduisant Brody O'Connell. Sous le charme, et bien décidée à le séduire, elle lui propose le chantier. Mais Brody reste insensible à ses avances, et semble même l'éviter. Pourtant, elle en jurerait, c'est bien du désir qu'elle voit briller dans son regard...

Dans l'ombre du mystère

Quand il arrive chez Stella O'Leary, Jack Dakota ne s'attend pas à découvrir que la jeune femme qu'il est censé envoyer en prison est une superbe rousse aux jambes interminables, pour laquelle il ressent aussitôt un désir intense, fulgurant. Et très vite, il acquiert la certitude que cette fille n'a vraiment rien de la meurtrière qu'on lui a décrite, et qu'ils ont été tous deux victimes d'un coup monté. Prêt à tout pour découvrir qui les a ainsi manipulés, et à protéger la femme dont il est en train de tomber irrémédiablement amoureux, Jack décide d'éclaircir le mystère qui entoure Stella…

Les amants de minuit

A la mort de sa mère, Laine décide de renouer avec son père, dont elle est séparée depuis l'âge de sept ans, et de se rendre à Hawaii où il vit. Mais les retrouvailles dont elle attendait tant ne se passent pas du tout comme elle l'avait imaginé : son père se montre étrangement distant avec elle. Et son impression de malaise s'accentue lorsqu'elle fait la connaissance de son associé, Dillon O'Brian : un homme séduisant mais ô combien irritant, persuadé qu'elle n'est revenue que par intérêt, et qui lui témoigne aussitôt méfiance et hostilité. Tout en lui faisant clairement comprendre qu'elle lui plaît… Au fil des jours, en compagnie de Dillon qui se charge de lui faire découvrir l'île — et de la surveiller —, Laine va devoir faire face à son passé et affronter les sentiments tumultueux et passionnés qui ne tardent guère à la submerger…

Prochain rendez-vous le 1er novembre 2012

A paraître le 1er mai

Best-Sellers n°510 • thriller

Le lys rouge - Karen Rose

Par une froide nuit de mars, à Chicago, une jeune fille se jette du vingt-deuxième étage. Chez elle, telle une signature macabre, la police découvre le sol jonché de lys. Quand il arrive sur les lieux, et qu'il y croise Tess Ciccotelli, psychiatre de la victime, l'inspecteur Aidan est sur la défensive, car des indices laissent penser que la jeune fille a été poussée au suicide par sa thérapeute. Soupçonnée de meurtre, Tess est interrogée par les policiers, puis libérée grâce à l'intervention de son avocate. Mais d'autres patients se suicident à leur tour. Lettres, empreintes, messages téléphoniques : tout accuse Tess. Etrangement, plus les preuves s'accumulent contre elle, plus Aidan est convaincu de son innocence. Quant à son avocate, elle refuse d'assurer sa défense. Seuls désormais face à la méfiance de leur entourage, Aidan et Tess vont devoir découvrir quel esprit manipulateur et pervers se cache derrière le piège diabolique qui se resserre autour de Tess…

Best-Sellers n°511 • suspense

Les disparus de Shadow Falls - Maggie Shayne

Le meilleur ami de son fils Sam a été retrouvé mort. Assassiné dans la forêt de Shadow Falls. Et pour le Dr Carrie Overton, cette tragédie fait soudain ressurgir les terreurs du passé. Depuis seize ans, en effet, Carrie est hantée par le souvenir de cette femme désespérée à qui elle a porté secours. Une inconnue qui a bouleversé sa vie à jamais en lui confiant son nouveau-né. Avant d'être assassinée, elle aussi… Depuis, Carrie porte seule le poids de ce lourd secret. Et aujourd'hui, elle se sent complètement désemparée. D'autant que Gabriel Cairn, récemment arrivé en ville, multiplie les questions sur son passé. Carrie doit-elle se méfier de cet homme mystérieux en qui elle a pourtant eu spontanément confiance ? Ou bien le jour est-il venu de mettre enfin un terme à son mensonge ?

Best-Sellers n°512 • suspense

L'île de la lune noire - Heather Graham

Quand deux jeunes acteurs sont assassinés sur un tournage, dans une petite île isolée de Floride, le thriller que réalise Vanessa Loren devient réalité. D'autant que le meurtrier demeure introuvable et que des phénomènes étranges conduisent Vanessa à se demander si l'île n'est pas hantée, comme le prétend la légende. Deux ans plus tard Vanessa, toujours bouleversée par ce crime impuni, revient à Key West où elle a appris que se préparait un documentaire sur l'histoire de la région. Elle souhaite absolument convaincre le réalisateur, Sean O'Hara, de l'embaucher pour inclure dans son film le récit du tournage tragique. Déterminée à surmonter les réticences de Sean qui semble se méfier d'elle, Vanessa le conduit sur les lieux du crime tout en lui faisant part de ses hypothèses. Mais elle est loin d'imaginer que le passé est sur le point de se répéter et que le tueur, accompagné d'ombres mystérieuses et inquiétantes, la guette déjà dans l'ombre.

Best-Sellers n°513 • thriller

Un danger dans la nuit - Lisa Jackson

Je sais ce que tu as fait, confesse tes péchés…
En écoutant ce message sur son répondeur, la psychologue Samantha Leeds plonge en plein cauchemar. Car l'appel lui rappelle le drame qui a marqué sa vie : le suicide d'Annie, une jeune auditrice perturbée qu'elle n'a pas pu sauver. Terrifiée, Samantha l'est d'autant plus que le harceleur est devenu un tueur qui viole et étrangle ses victimes en écoutant son émission. Tandis que les inspecteurs Bentz et Montoya pistent le meurtrier, Samantha se réfugie auprès de Ty Wheeler, son nouveau voisin, le seul homme auquel, croit-elle, elle peut encore faire confiance…

Best-Sellers n°514 • roman

L'écho de la rivière - Emilie Richards

Artiste peintre mariée à un avocat et mère d'une petite fille, Julia Warwick est un pur produit de l'aristocratie de Ridge's Race. Cette femme à qui tout semble sourire voit pourtant son monde s'écrouler lorsqu'elle perd la vue de manière inexpliquée. Les médecins ayant conclu à une cécité psychosomatique, Julia entreprend de fouiller son passé à la recherche d'un traumatisme qu'elle aurait pu enfouir au plus profond de sa mémoire. Ce faisant, elle ouvre peu à peu les yeux sur son mari, sa famille, et surtout sur elle-même. Faisant bientôt émerger, avec l'aide de Christian Carver, son amour de jeunesse, des secrets que beaucoup ont intérêt à ne jamais voir divulgués.

Best-Sellers n°515 • suspense

Noirs soupçons - Brenda Novak

Revenue à Stillwater avec sa petite Whitney pour oublier un passé difficile, Allie McCormick, brillant officier de police, est fermement décidée à faire toute la lumière sur le drame qui a bouleversé la ville durant son adolescence : la mystérieuse disparition du révérend Barker, dix-neuf ans plus tôt. Depuis, les soupçons les plus noirs, les rumeurs les plus graves, n'ont cessé de circuler dans la région... Des rumeurs terribles, accusant Clay Montgomery, le fils adoptif du révérend, d'avoir tué son beau-père et dissimulé son corps. Mais un soupçon n'a rien d'une preuve pour Allie, quels que soient ses doutes et la surprise qu'elle éprouve en découvrant, au lieu de l'adolescent au charme ténébreux dont elle a gardé le souvenir, un homme taciturne et solitaire, qui semble porter le poids d'un lourd secret. Intriguée, Allie veut à tout prix découvrir s'il est ou non l'assassin qu'elle est venue démasquer.

Best-Sellers n°516 • thriller

Le collectionneur - Alex Kava

Albert Stucky. On l'appelle le Collectionneur – parce qu'il aime collectionner les jeunes femmes, avant d'en disposer à sa manière. La plus horrible qui soit. Pour l'arrêter, Maggie O'Dell, profiler et agent du FBI, a payé le prix fort : enlevée et torturée par ce fou dangereux, elle n'a échappé à la mort que de justesse. Mais aujourd'hui, huit mois après les faits, la jeune femme apprend que Stucky est parvenu à s'évader. Pour elle, le cauchemar recommence...

Un face à face redoutable entre Maggie O'Dell, un des meilleurs profilers du FBI, et Albert Stucky, un tueur en série particulièrement intelligent et pervers, dont chaque crime marque une escalade dans l'horreur.

Best-Sellers n°517 • historique

Le prix du scandale - Kat Martin

Angleterre, 1855.

Depuis la disparition de son richissime époux, Elizabeth Holloway n'a qu'une inquiétude : se voir retirer la garde de son fils par sa cupide belle-famille, prête à tout pour s'emparer de l'héritage de l'enfant. Désespérée, et impuissante face aux Holloway, elle décide de faire appel au seul homme qu'elle ait jamais aimée, et qu'elle a pourtant trahi malgré elle... Reese Dewar. Reese, qui ne lui a jamais pardonné d'en avoir épousé un autre alors qu'elle lui avait promis sa main des années plus tôt. Reese, qui ignore tout de son secret et des raisons qui l'ont poussée à se détourner de lui...

Composé et édité par les
éditions HARLEQUIN
Achevé d'imprimer en France (Malesherbes)
par Maury-Imprimeur
en mai 2012

Dépôt légal en juin 2012
N° d'imprimeur : 172544